하 루 10분 서술형/문장제 학습지

씨투엠

수학 독해

A3 시계와 규칙

초1~초2

씨투엠

수학독해 : 수학을 스스로 읽고 해결하다

객관식이나 간단한 단답형 문제는 자신 있는데 긴 문장이나 풀이 과정을 쓰라는 문제는 어려워하는 아이들이 있어요. 빠르고 정확하게 연산하고 교과 응용문제까지도 곧잘 풀어내지만, 문제 속 상황이 약간만 복잡해지면 문제를 풀려고도 하지 않는 아이들도 많아요. 이러한 아이들에게 부족한 것은 연산 능력이나 문제 해결력보다는 독해력과 표현력입니다. 특히 수학적 텍스트를 이해하고 표현하는 능력, 즉 수학 독해력이지요.

요즘 아이들의 독해력이 약해진 가장 큰 이유는 과거에 비해 이야기를 만나는 방식이 다양해졌기 때문이에요. 예전에는 대부분 말이나 글로써만 이야기를 접했어요. 텍스트 위주로 여러 가지 사건을 간접 체험하고, 머릿 속으로 상황을 그려내는 훈련이 자연스럽게 이루어졌지요. 반면 요즘 아이들은 글보다도 TV나 스마트폰 등 영상매체에 훨씬 빨리, 자주 노출되기에 글을 통해 상상을 할 필요가 점점 없어지게 되었습니다.

그렇다고 아이들에게 어렸을 때부터 영화나 애니메이션을 못 보게 하고 책만 읽게 하는 것은 바람직하지 않고, 가능하지도 않아요. 시각 매체는 그 자체로 많은 장점이 있기 때문에 지금의 아이들은 예전 세대에 비해 이미지에 대한 이해력과 적용력이 매우 뛰어나답니다. 문제는 아직까지 모든 학습과 평가 방식이 여전히 텍스트 위주이기 때문에 지금도 아이들에게 독해력이 중요하다는 점이에요. 그래서 저희는 영상 매체에는 익숙하지만 말이나 글에는 약한 아이들을 위한 새로운 수학 독해력 향상 프로그램인 씨투엠 수학독해를 기획하게 되었어요.

씨투엠 수학독해는 기존 문장제/서술형 교재들보다 더욱 쉽고 간단한 학습법을 보여주려 해요. 문제에 있는 문장과 표현 하나하나마다 따로 접근하여 아이들이 어려워하는 포인트를 찾고, 각 포인트마다 직관적인 활동을 통해 독해력과 표현력을 차근차근 끌어올리려고 합니다. 또한 문제 이해와 풀이 서술 과정을 단계별로 세세하게 나누어 문장제, 서술형 문제를 부담 없이 체계적으로 연습할 수 있어요. 새로운 문장제 학습법인 씨투엠 수학독해가 문장제 문제에 특히 어려움을 겪고 있거나 앞으로 서술형 문제를 좀 더 잘 대비하고 싶은 아이들에게 큰 도움이 될 것이라 자신합니다.

씨투엠

수학독해의 구성과 특징

- 매일 부담없이 2쪽씩, 하루 10분 문장제 학습
- 매주 5일간 단계별 활동, 6일차는 중요 문장제 확인학습
- 5회분의 진단평가로 테스트 및 복습

주차별 구성

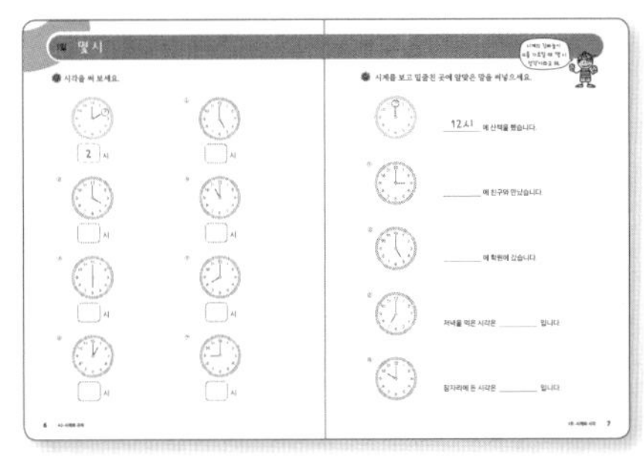

일일학습

꼬마 수학자들의 간단한 팁과 함께 매일 새롭게 만나는 단계별 문장제 활동

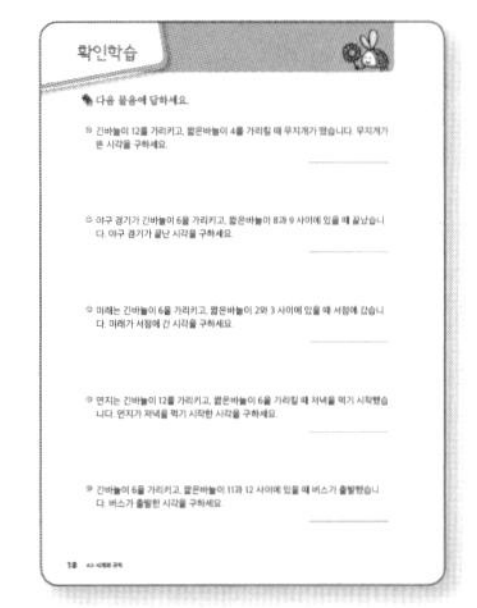

확인학습

중요 문장제 활동을 다시 한번 확인하며 주차 학습 마무리

	1일	2일	3일	4일	5일	확인학습
1주차	6쪽 ~ 7쪽	8쪽 ~ 9쪽	10쪽 ~ 11쪽	12쪽 ~ 13쪽	14쪽 ~ 15쪽	16쪽 ~ 18쪽
2주차	20쪽 ~ 21쪽	22쪽 ~ 23쪽	24쪽 ~ 25쪽	26쪽 ~ 27쪽	28쪽 ~ 29쪽	30쪽 ~ 32쪽
3주차	34쪽 ~ 35쪽	36쪽 ~ 37쪽	38쪽 ~ 39쪽	40쪽 ~ 41쪽	42쪽 ~ 43쪽	44쪽 ~ 46쪽
4주차	48쪽 ~ 49쪽	50쪽 ~ 51쪽	52쪽 ~ 53쪽	54쪽 ~ 55쪽	56쪽 ~ 57쪽	58쪽 ~ 60쪽

진단평가 구성

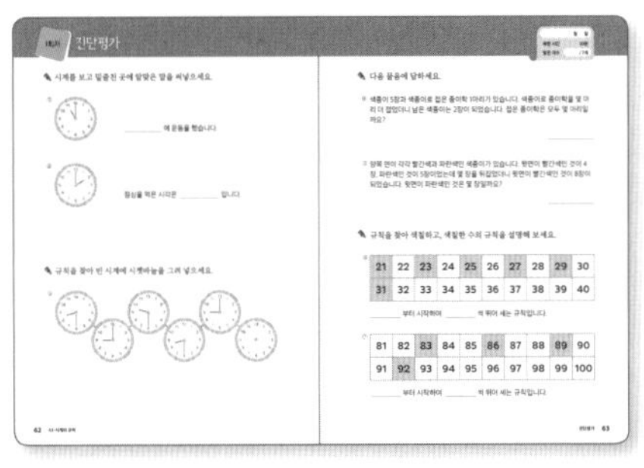

진단평가

4주 간의 문장제 학습에서 부족한 부분을 확인하고 복습하기 위한 자가 진단 테스트

	1회	2회	3회	4회	5회
진단평가	62쪽 ~ 63쪽	64쪽 ~ 65쪽	66쪽 ~ 67쪽	68쪽 ~ 69쪽	70쪽 ~ 71쪽

이 책의 차례

1주차

시계와 시각

1일 몇 시

시각을 써 보세요.

2 시

①

시

②

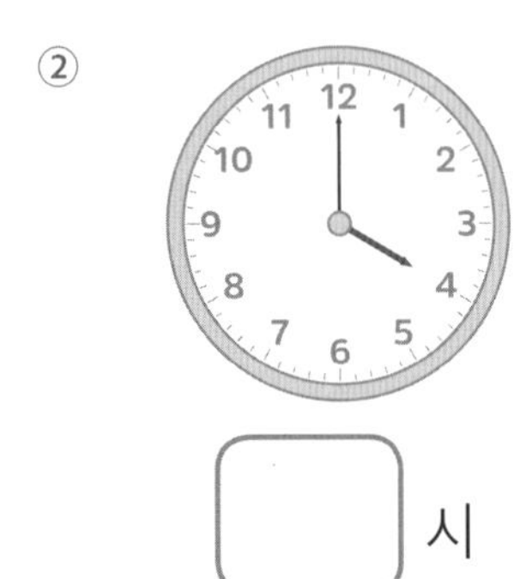

시

③

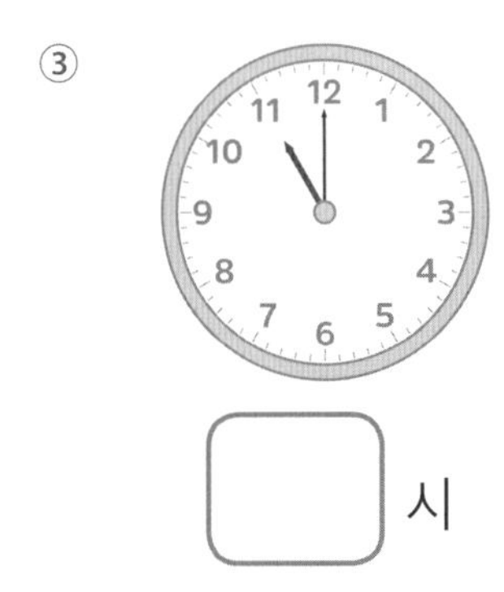

시

④

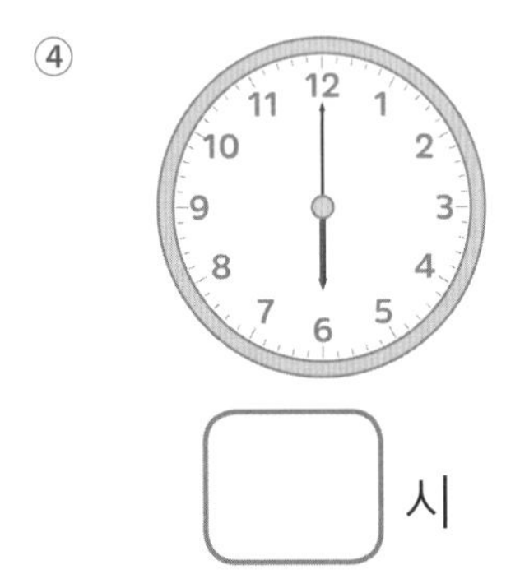

시

⑤

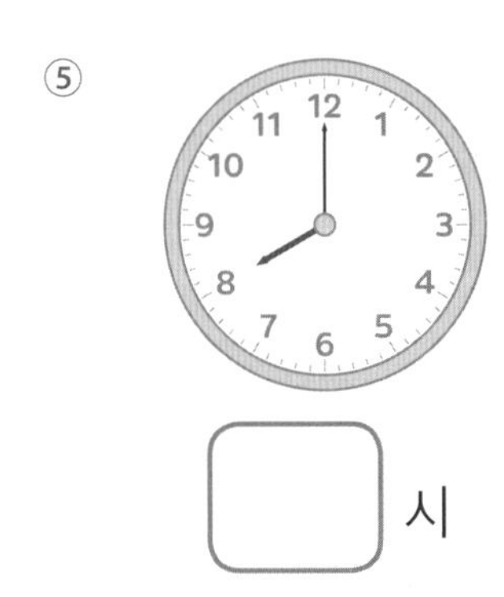

시

⑥

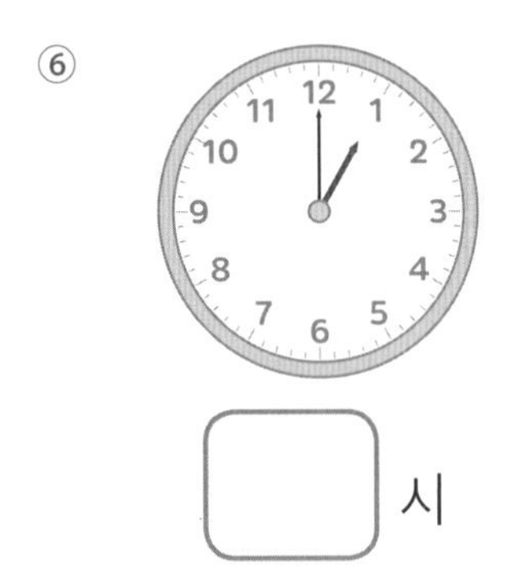

시

⑦

시

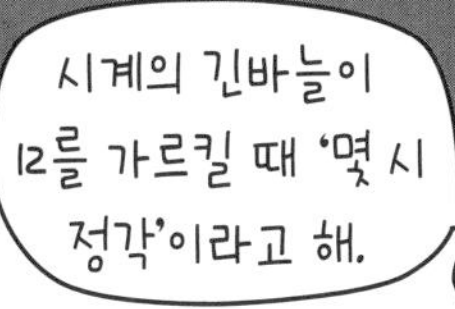

시계의 긴바늘이
12를 가리킬 때 '몇 시
정각'이라고 해.

❀ 시계를 보고 밑줄친 곳에 알맞은 말을 써넣으세요.

12시 에 산책을 했습니다.

①

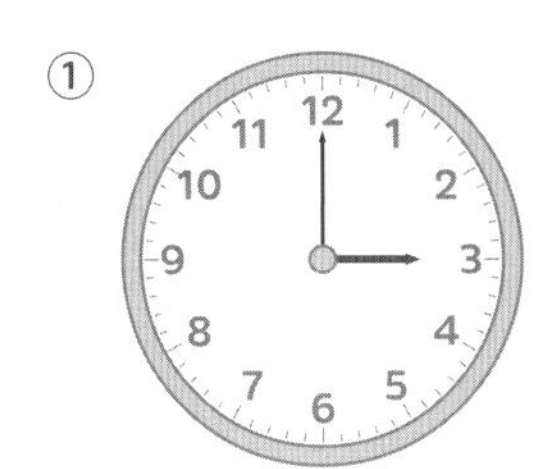

________ 에 친구와 만났습니다.

②

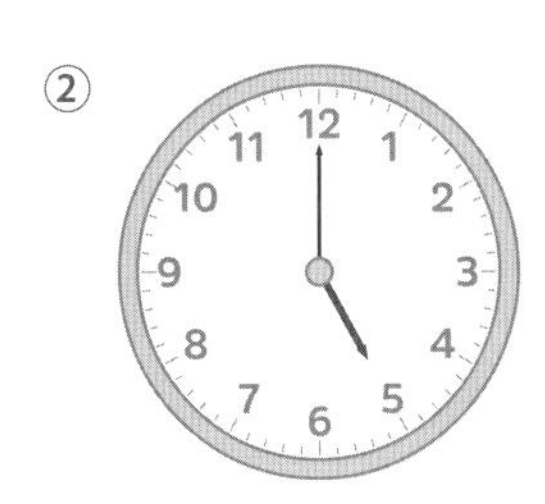

________ 에 학원에 갔습니다.

③

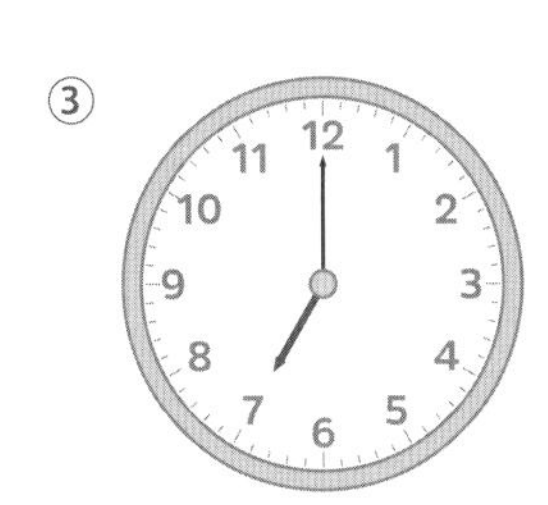

저녁을 먹은 시각은 ________ 입니다.

④

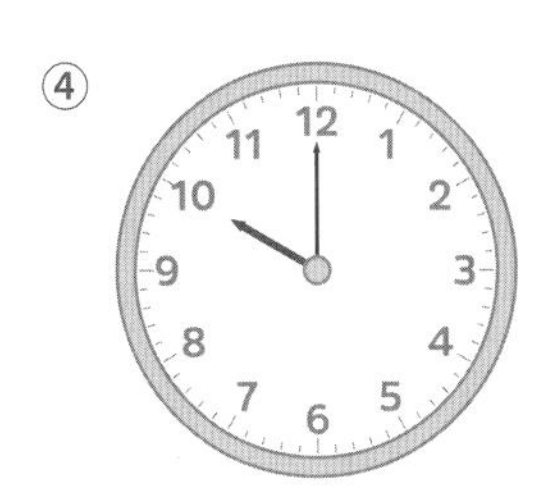

잠자리에 든 시각은 ________ 입니다.

2일 몇 시 30분

시각을 써 보세요.

5 시 30 분

①

②

시 분

③

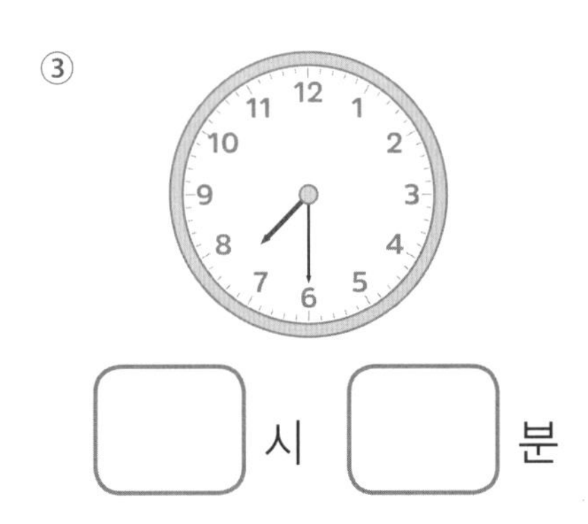

④

시 분

⑤

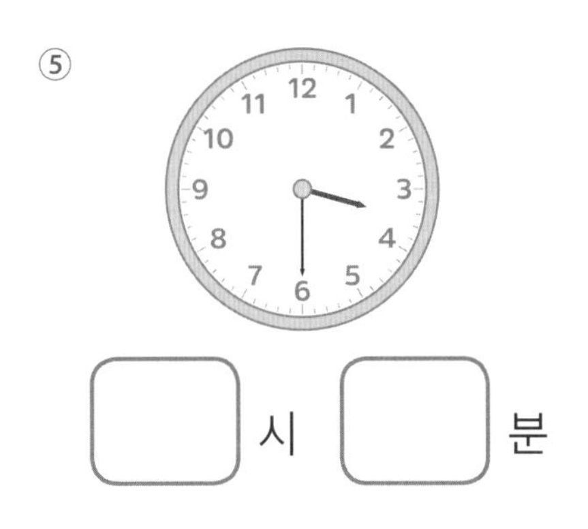

⑥

시 분

⑦

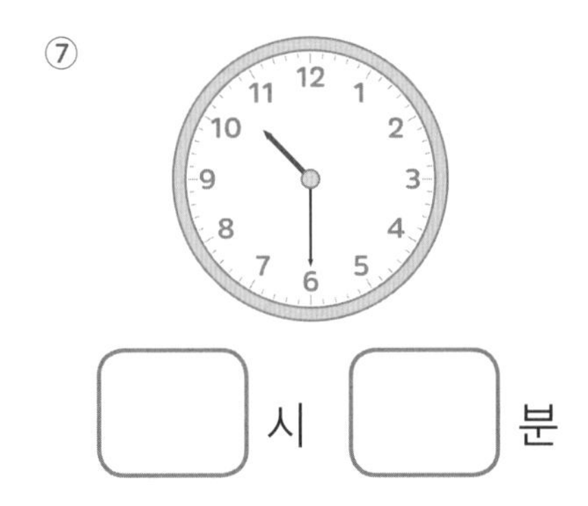

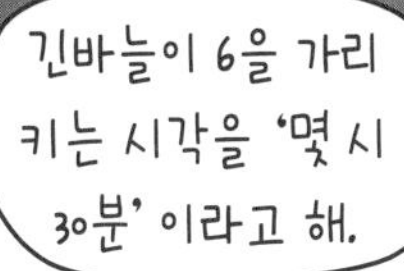
긴바늘이 6을 가리
키는 시각을 '몇 시
30분' 이라고 해.

 시계를 보고 밑줄친 곳에 알맞은 말을 써넣으세요.

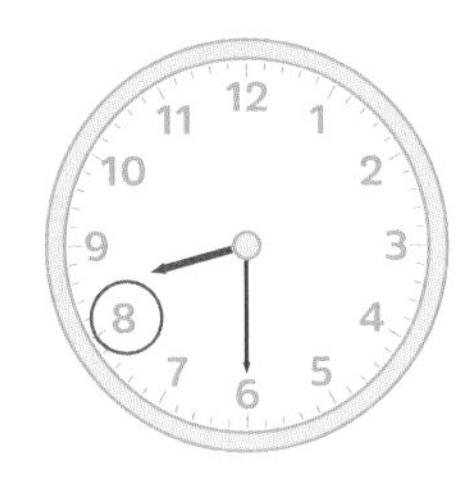

8시 30분 에 아침을 먹었습니다.

①

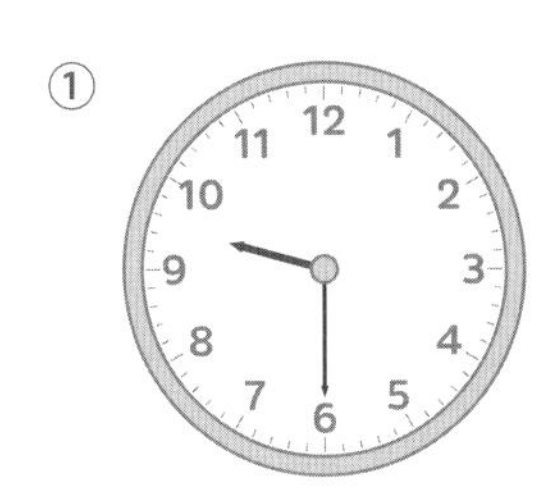

_______________ 에 텔레비전을 보았습니다.

②

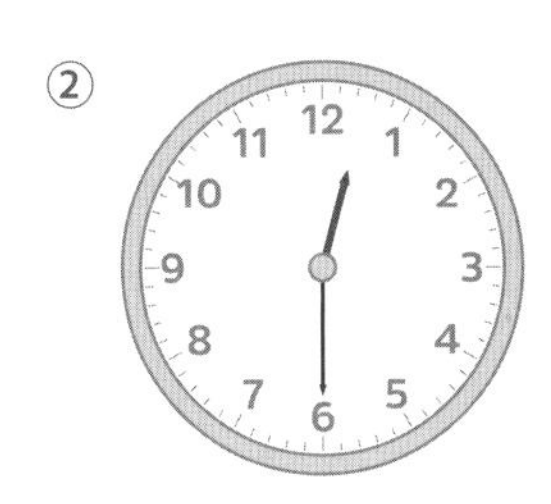

_______________ 에 책을 읽었습니다.

③

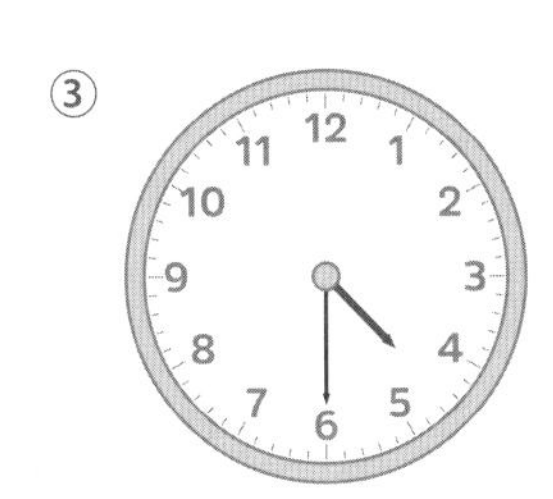

수학 공부를 한 시각은 _______________ 입니다.

④

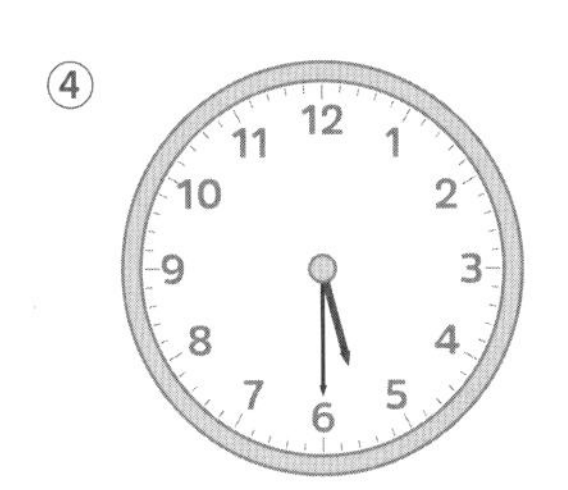

놀이터에 간 시각은 _______________ 입니다.

3일 시각 나타내기

같은 시각을 나타내는 것끼리 이어 보세요.

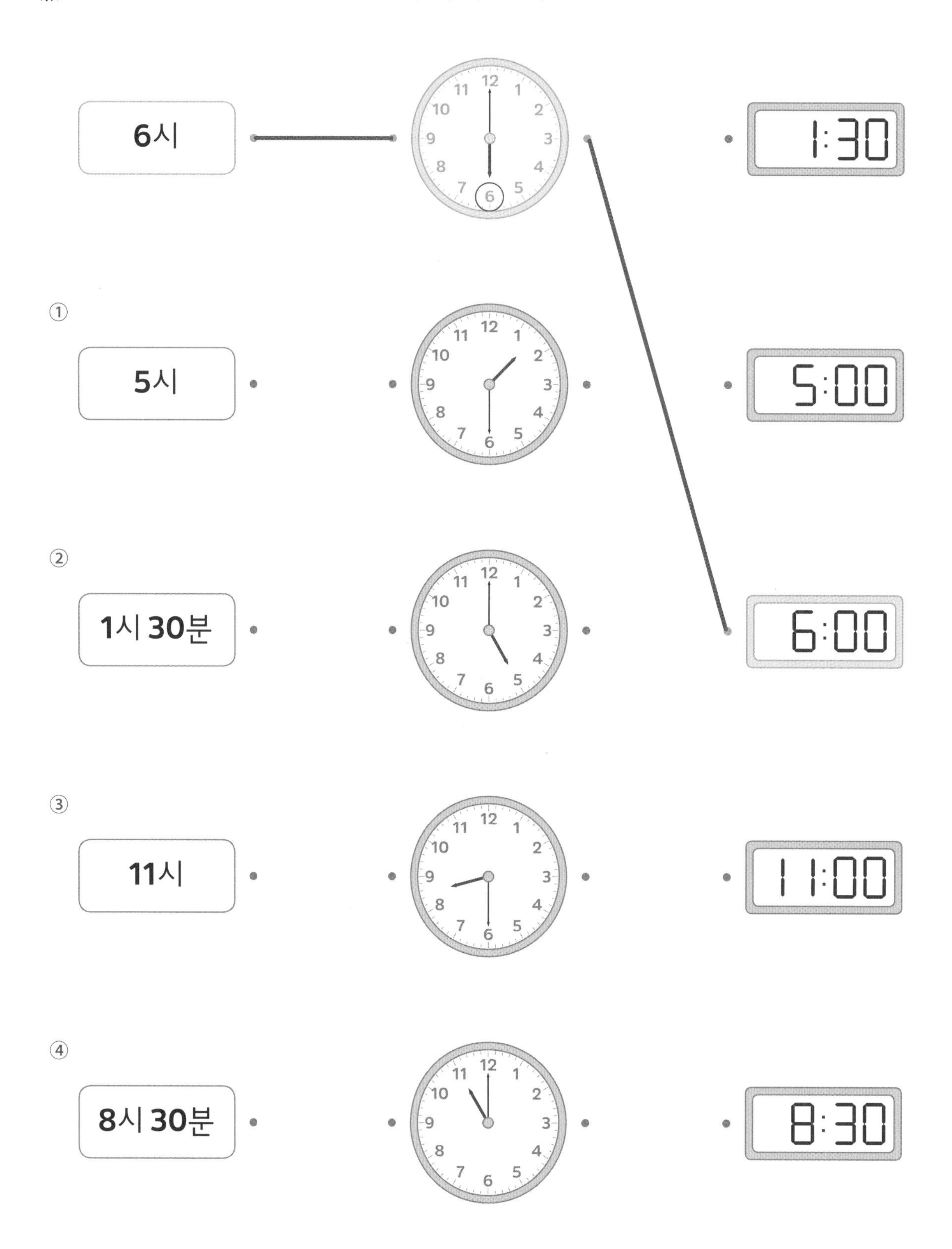

바늘이 있는 시계가
있고, 숫자로 나타내는
시계도 있어.

이야기에 나오는 시각을 시계에 나타내어 보세요.

진우는 아침 9시에 수영을 했습니다.

① 아영이는 10시 30분에 강아지를 데리고 산책을 합니다.

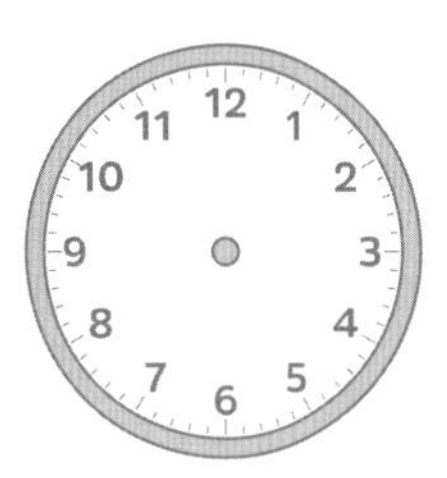

② 빵집에 빵이 나오는 시각은 6시 30분입니다.

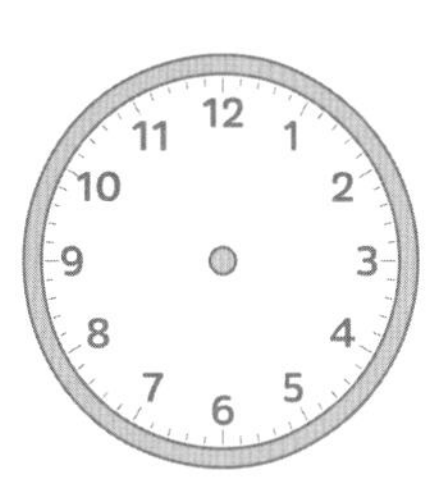

③ 광장에 분수가 나오는 시각은 낮 3시입니다.

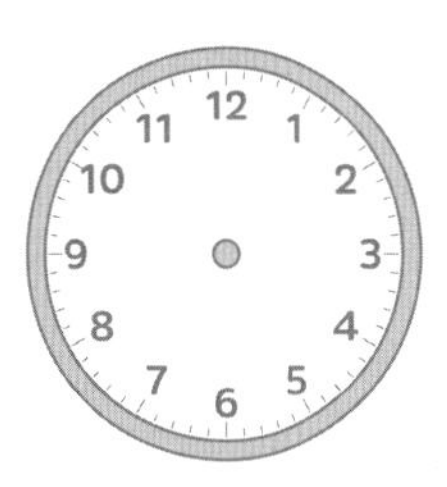

④ 한희는 저녁 7시 30분에 밥을 먹었습니다.

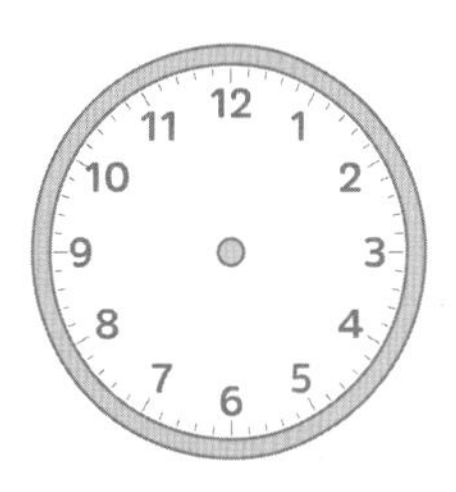

4일 시곗바늘

시계를 보고 빈칸에 알맞은 수를 써넣으세요.

긴바늘은 [12] 를 가리킵니다.

짧은바늘은 [8] 을 가리킵니다.

①

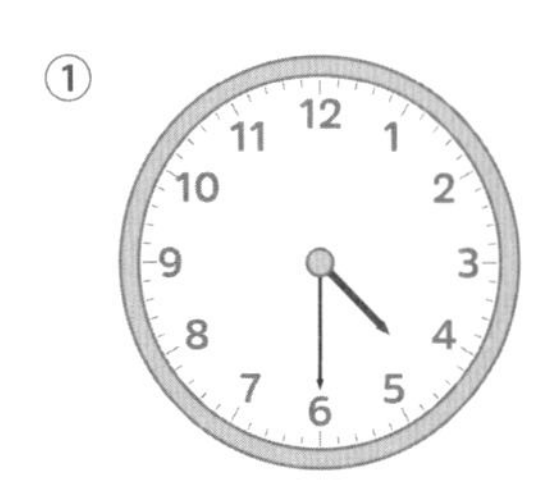

긴바늘은 [ ] 을 가리킵니다.

짧은바늘은 [ ] 와 [ ] 사이에 있습니다.

②

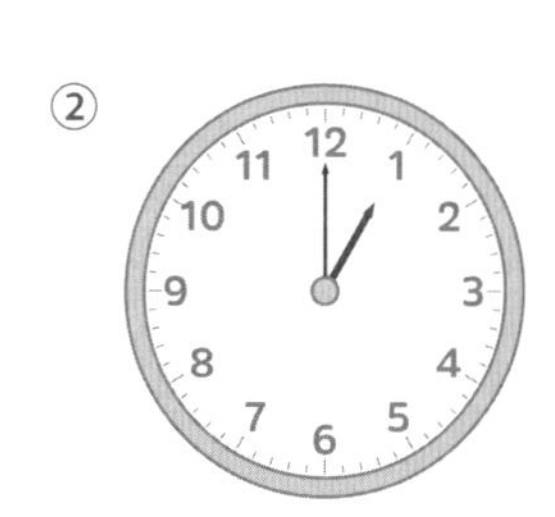

긴바늘은 [ ] 를 가리킵니다.

짧은바늘은 [ ] 을 가리킵니다.

③

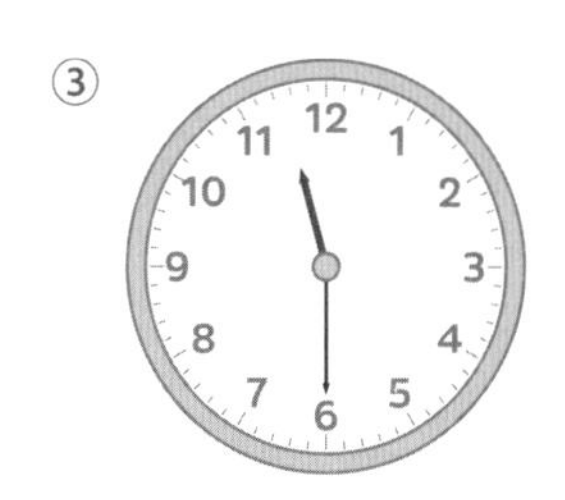

긴바늘은 [ ] 을 가리킵니다.

짧은바늘은 [ ] 과 [ ] 사이에 있습니다.

긴바늘은 분을
나타내고 짧은바늘은
시를 나타내지.

다음 물음에 답하세요.

진아가 학교에 간 시각은 9시입니다. 긴바늘이 가리키는 숫자는 무엇일까요?

12

① 아침 식사는 8시 30분에 시작됩니다. 긴바늘이 가리키는 숫자는 무엇일까요?

______

② 3시에 종이 울렸습니다. 짧은바늘이 가리키는 숫자는 무엇일까요?

______

③ 아버지는 6시 30분에 약수터에 갑니다. 짧은바늘은 어떤 두 수 사이에 있을까요?

______

④ 도윤이가 12시 30분에 동네 서점에 갔습니다. 짧은바늘은 어떤 두 수 사이에 있을까요?

______

5일 시각을 구하세요

시곗바늘을 그려 넣고 시각을 써 보세요.

긴바늘은 6을 가리킵니다.

짧은바늘은 10과 11 사이에 있습니다.

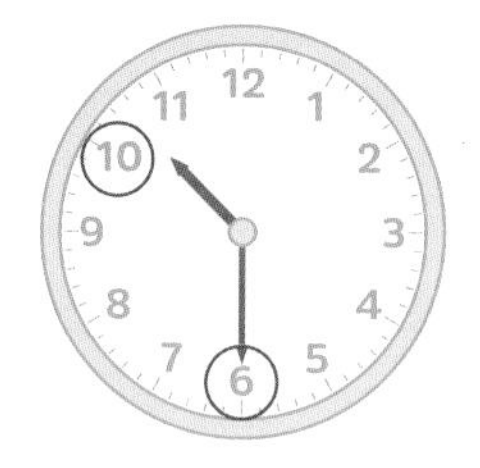

시계가 나타내는 시각은 10시 30분 입니다.

① 긴바늘은 12를 가리킵니다.

짧은바늘은 2를 가리킵니다.

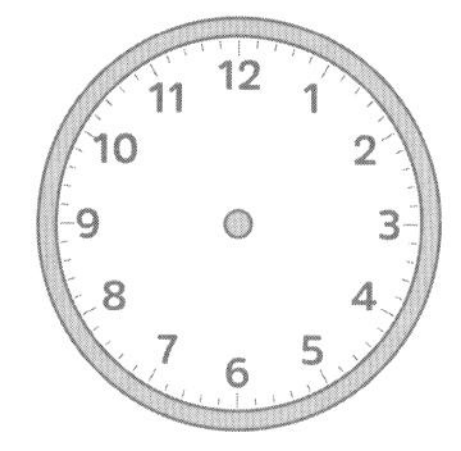

시계가 나타내는 시각은 ______________ 입니다.

② 긴바늘은 6을 가리킵니다.

짧은바늘은 5와 6 사이에 있습니다.

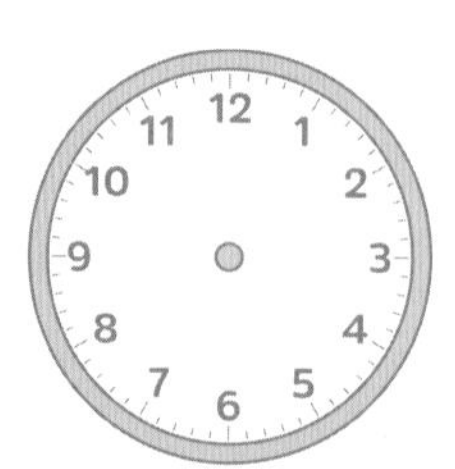

시계가 나타내는 시각은 ______________ 입니다.

긴바늘과 짧은바늘
이 가리키는 모양을
머릿속으로 그려 봐.

다음 물음에 답하세요.

현우는 긴바늘이 12를 가리키고, 짧은바늘도 12를 가리킬 때 점심을 먹기 시작했습니다. 현우가 점심을 먹기 시작한 시각을 구하세요.

12시

① 수탉은 긴바늘이 12를 가리키고, 짧은바늘이 5를 가리킬 때 울기 시작합니다. 수탉이 울기 시작하는 시각을 구하세요.

② 세람이는 긴바늘이 6을 가리키고, 짧은바늘이 3과 4 사이에 있을 때 공원에 도착했습니다. 세람이가 공원에 도착한 시각을 구하세요.

③ 긴바늘이 12를 가리키고, 짧은바늘이 8을 가리킬 때 비가 내리기 시작했습니다. 비가 내리기 시작한 시각을 구하세요.

④ 긴바늘이 6을 가리키고, 짧은바늘이 12와 1 사이에 있을 때 부산으로 가는 열차가 출발했습니다. 열차가 출발한 시각을 구하세요.

확인학습

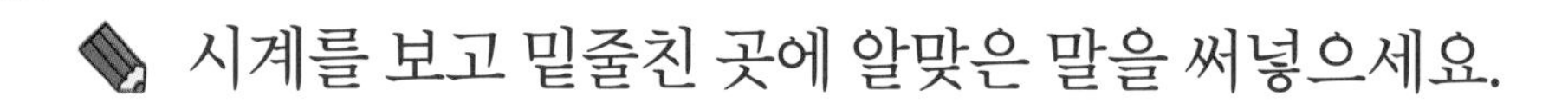
시계를 보고 밑줄친 곳에 알맞은 말을 써넣으세요.

①
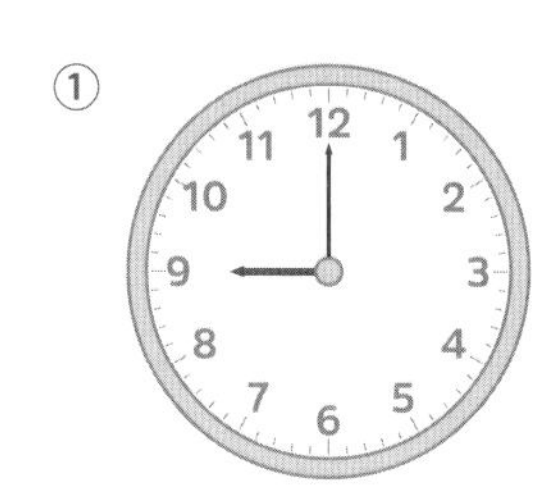

__________ 에 공원에 갔습니다.

②
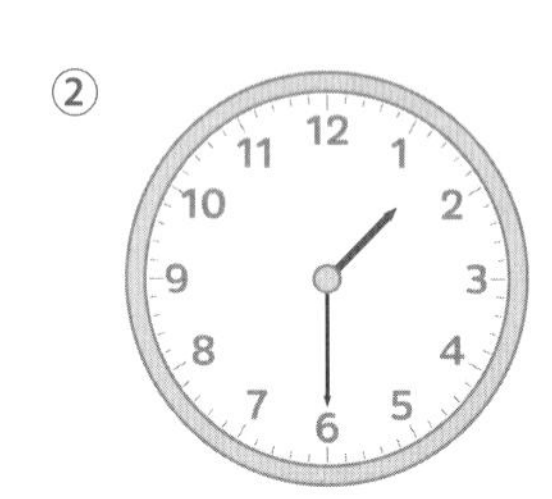

________________ 에 종이접기를 하였습니다.

③

________________ 에 샤워를 했습니다.

④
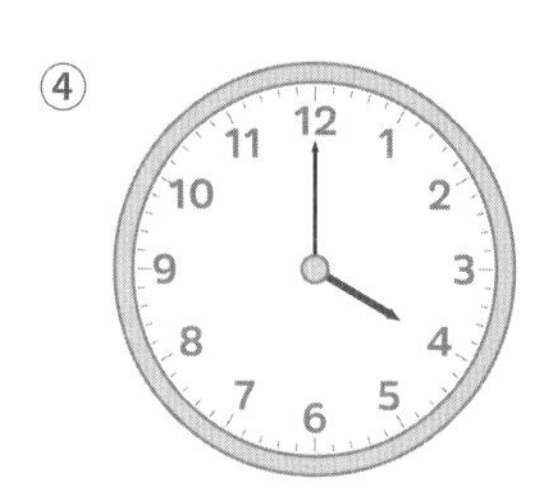

수영장에 간 시각은 __________ 입니다.

⑤
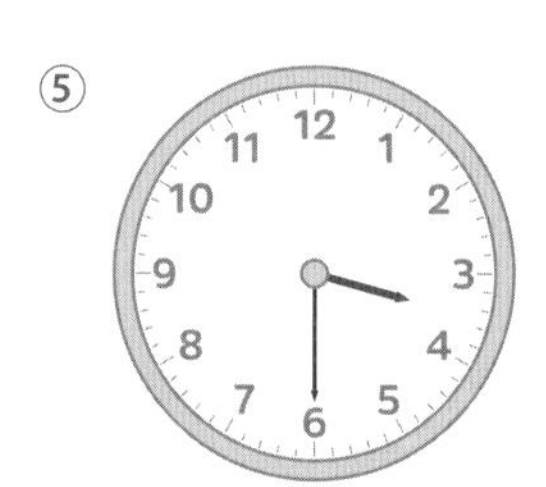

떡볶이를 먹은 시각은 ________________ 입니다.

✎ 이야기에 나오는 시각을 시계에 나타내어 보세요.

⑥ 주연이가 잠자리에 든 시각은 밤 11시입니다.

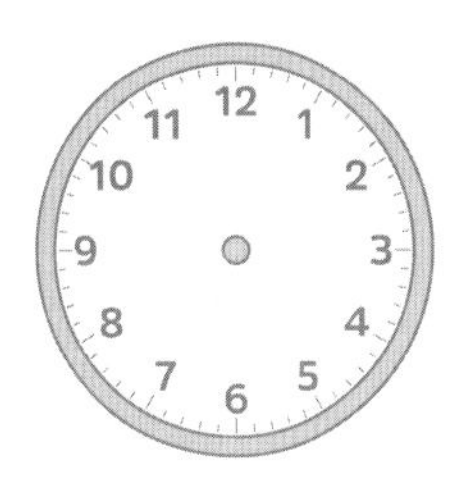

⑦ 저녁 7시 30분부터 서커스 공연이 시작됩니다.

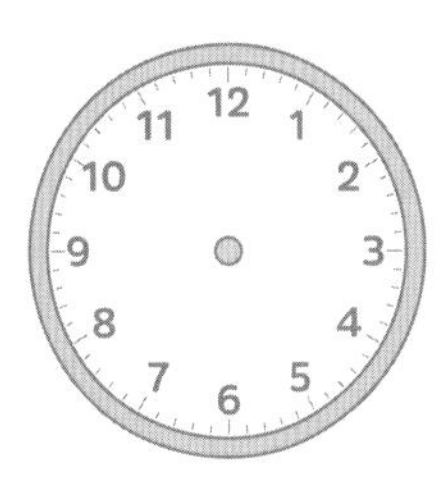

✎ 다음 물음에 답하세요.

⑧ 오후 4시에 쇼핑몰에 갔습니다. 짧은바늘이 가리키는 숫자는 무엇일까요?

______

⑨ 7시 30분에 저녁을 먹었습니다. 긴바늘이 가리키는 숫자는 무엇일까요?

______

확인학습

다음 물음에 답하세요.

⑩ 긴바늘이 12를 가리키고, 짧은바늘이 4를 가리킬 때 무지개가 떴습니다. 무지개가 뜬 시각을 구하세요.

____

⑪ 야구 경기가 긴바늘이 6을 가리키고, 짧은바늘이 8과 9 사이에 있을 때 끝났습니다. 야구 경기가 끝난 시각을 구하세요.

____

⑫ 미래는 긴바늘이 6을 가리키고, 짧은바늘이 2와 3 사이에 있을 때 서점에 갔습니다. 미래가 서점에 간 시각을 구하세요.

____

⑬ 연지는 긴바늘이 12를 가리키고, 짧은바늘이 6을 가리킬 때 저녁을 먹기 시작했습니다. 연지가 저녁을 먹기 시작한 시각을 구하세요.

____

⑭ 긴바늘이 6을 가리키고, 짧은바늘이 11과 12 사이에 있을 때 버스가 출발했습니다. 버스가 출발한 시각을 구하세요.

____

2주차

시각 순서

1일 시간표

❀ 시간표를 보고 밑줄친 곳에 알맞은 말을 써넣으세요.

산책	10 : 30
점심 식사	1 : 00
수학 공부	2 : 30

수학 공부

① 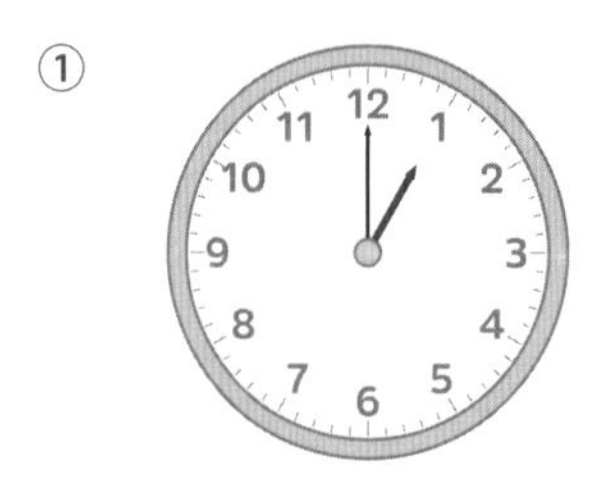

②

영화	4 : 30
저녁 식사	6 : 30
보드게임	8 : 00

③ 

④

⑤ 

어떤 일이 일어나는
시각을 나타낸 표를
시간표라고 해.

초이의 시간표를 보고 물음에 답하세요.

기상	7 : 30	학교 도착	9 : 30
아침 식사	8 : 00	점심 식사	12 : 30
세수	8 : 30	학원 도착	5 : 00

아침에 초이가 일어나는 시각을 구하세요.

7시 30분

① 초이는 9시 30분에 무엇을 하고 있을까요?

______

② 초이가 점심을 먹기 시작하는 시각을 구하세요.

______

③ 시계의 긴바늘이 6을 가리키고 짧은바늘이 8과 9 사이에 있을 때 초이는 무엇을 하고 있을까요?

______

④ 초이가 학원에 도착했을 때 시계의 짧은바늘이 가리키는 숫자는 무엇일까요?

______

2일 일찍, 늦게

 다음 물음에 답하세요.

어느 날 아침에 지영이와 준우가 학교에 도착한 시각입니다. 학교에 더 일찍 도착한 사람은 누구일까요?

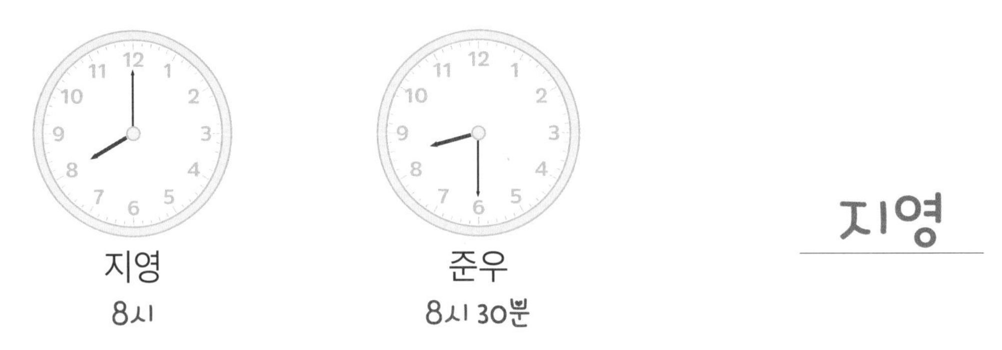

① 점심 때 벌어진 경주에서 토끼와 거북이가 결승점에 도착한 시각입니다. 결승점에 더 일찍 도착한 동물은 무엇일까요?

② 오빠와 동생이 낮에 숙제를 끝낸 시각입니다. 숙제를 더 늦게 끝낸 사람은 누구일까요?

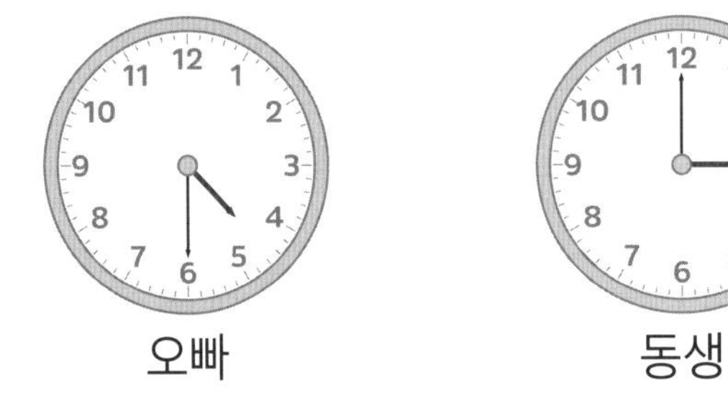

'먼저, 일찍'은 앞의
시각을, '나중, 늦게'는
뒤의 시각을 뜻하지.

③ 어느 날 아침에 테이와 세안이가 공원에 도착한 시각입니다. 공원에 나중에 도착한 사람은 누구일까요?

테이

세안

______

④ 1반과 2반이 방과 후에 청소를 끝낸 시각입니다. 청소를 먼저 끝낸 반은 어디일까요?

1반

2반

______

⑤ 지원이와 도연이가 점심을 다 먹은 시각입니다. 점심을 더 일찍 다 먹은 사람은 누구일까요?

지원

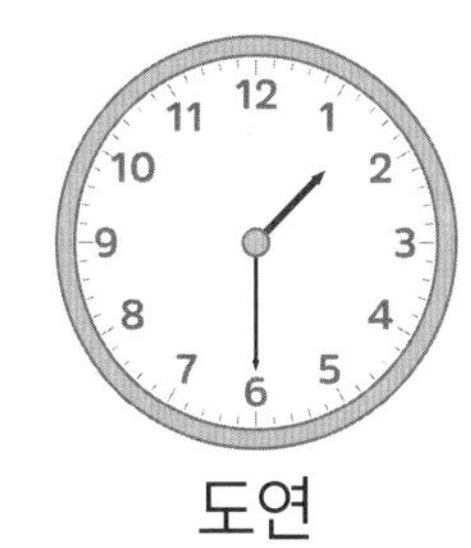
도연

______

3일 가장 일찍, 가장 늦게

기차가 도착한 시각을 수직선에 나타내어 보세요.

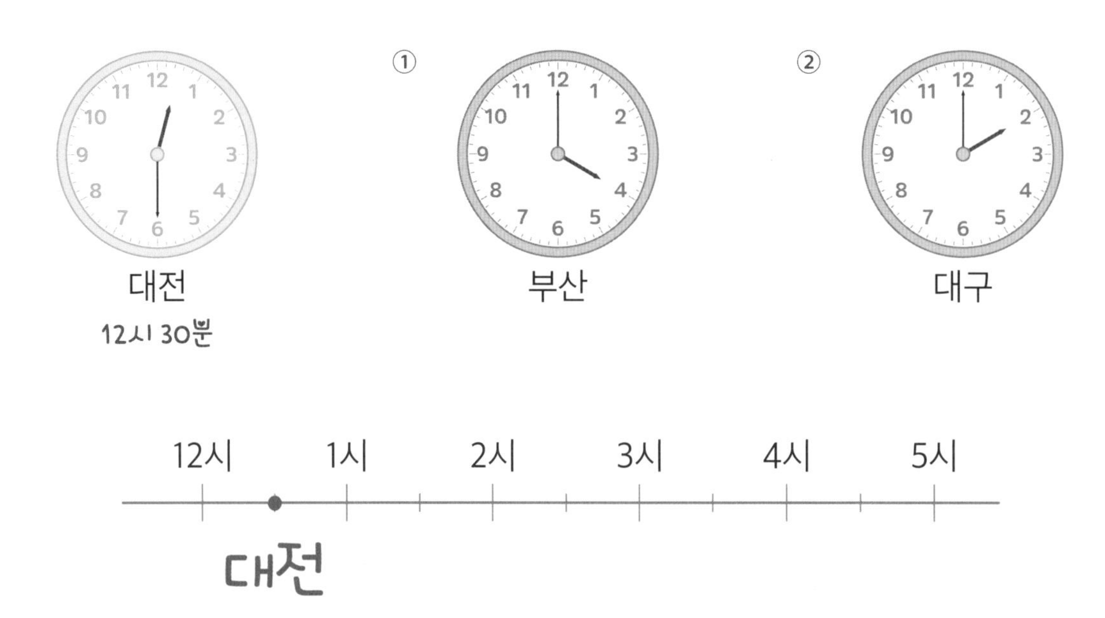

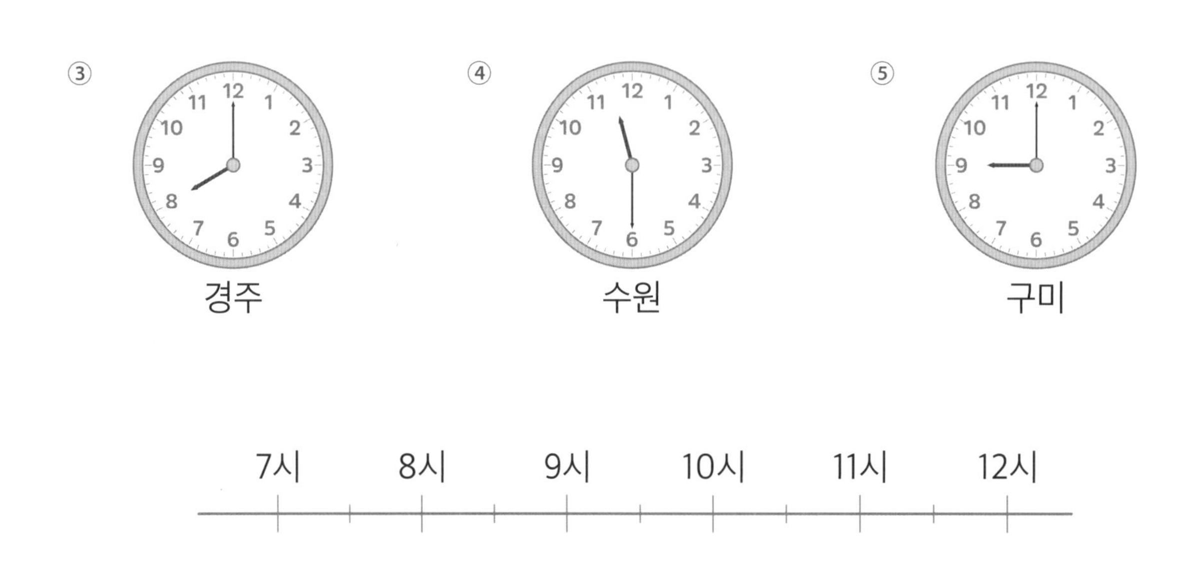

시각을 수직선에
나타내면 시각의
순서를 알기 쉬워.

다음 물음에 답하세요.

같은 날 밤에 세 사람이 잠든 시각입니다. 가장 먼저 잠든 사람은 누구일까요?

① 세 반이 방과 후에 청소를 끝낸 시각입니다. 가장 일찍 청소를 끝낸 반은 어디일까요?

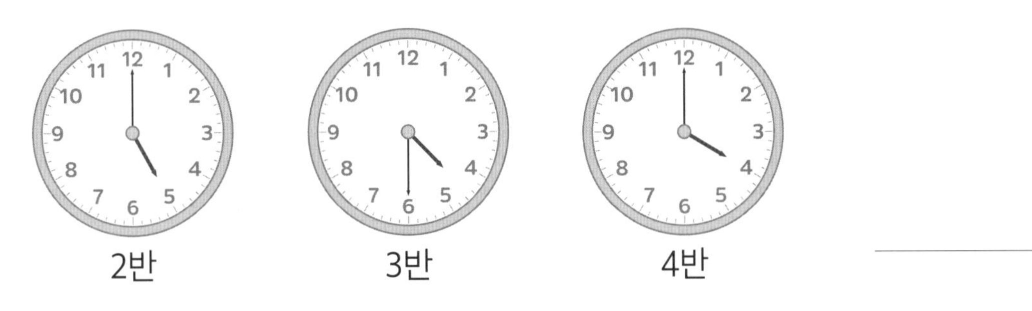

② 낮에 벌어진 경주에서 세 동물이 결승점에 도착한 시각입니다. 가장 나중에 도착한 동물은 무엇일까요?

4일 시간 순서대로

아침부터 저녁까지의 일입니다. 순서대로 시간표를 완성해 보세요.

①

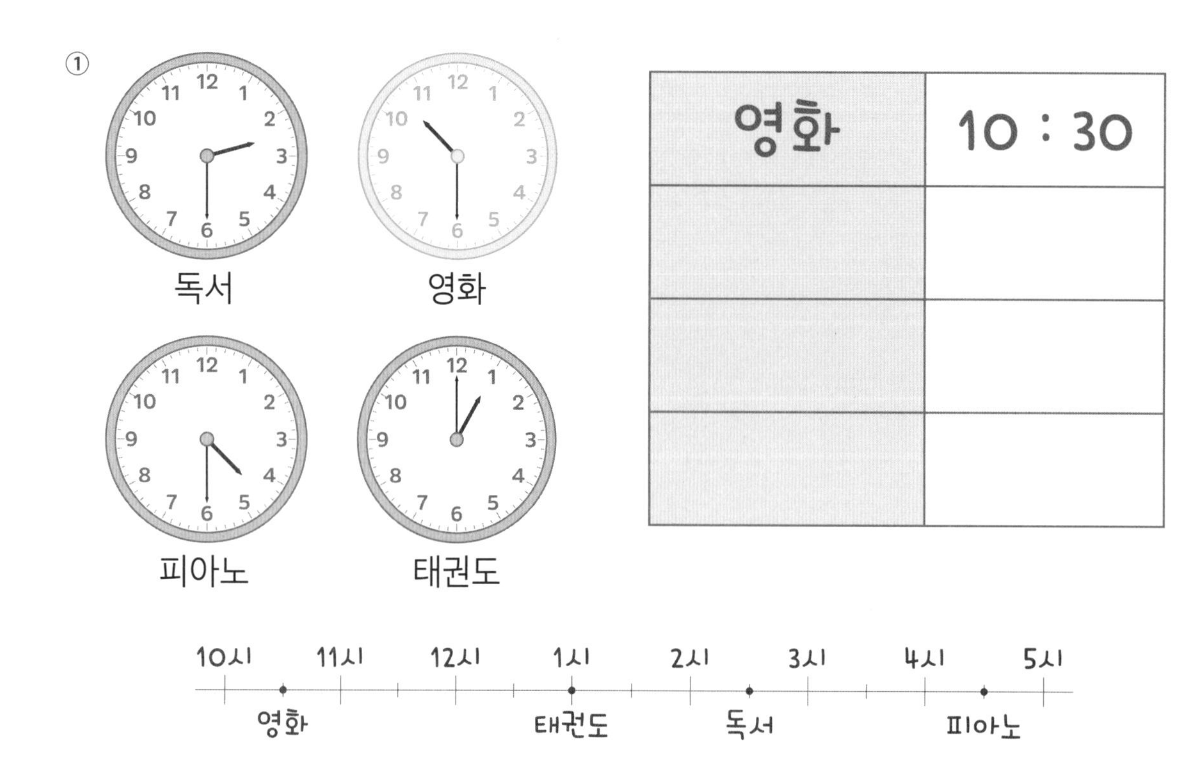

영화	10 : 30

②

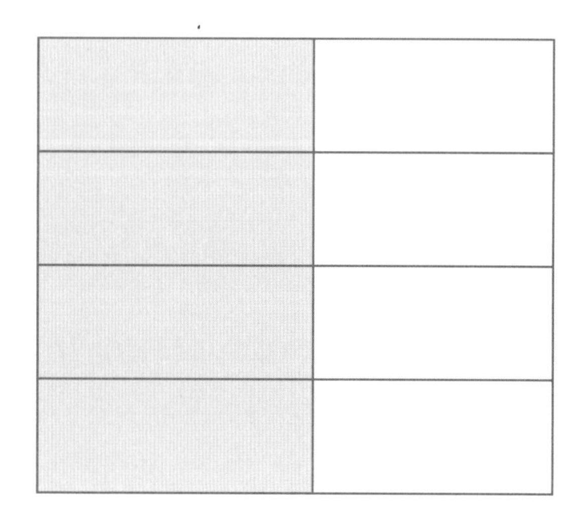

수직선에서 왼쪽에 있는 사건이 더 일찍 일어난 사건이야.

③

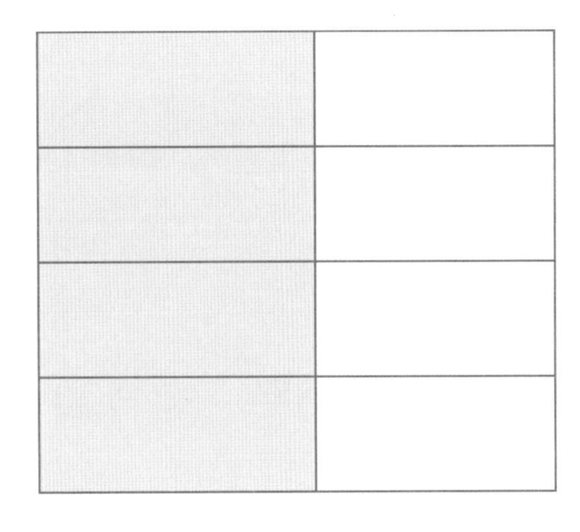

④

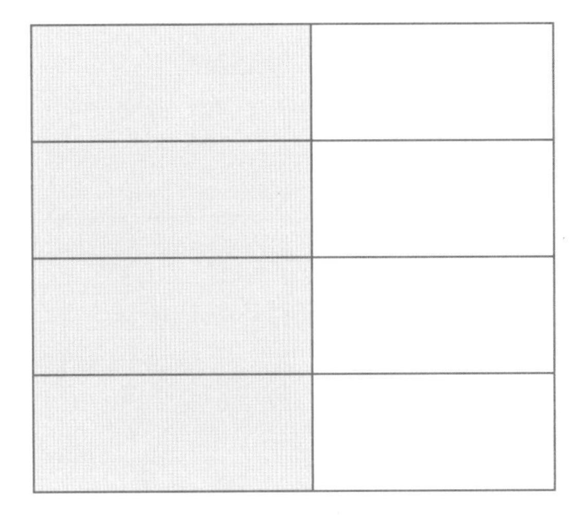

5일 시계 규칙

시계 모양에서 규칙을 찾아 설명해 보세요.

10시 30분 과 1시 30분 이 반복됩니다.

①

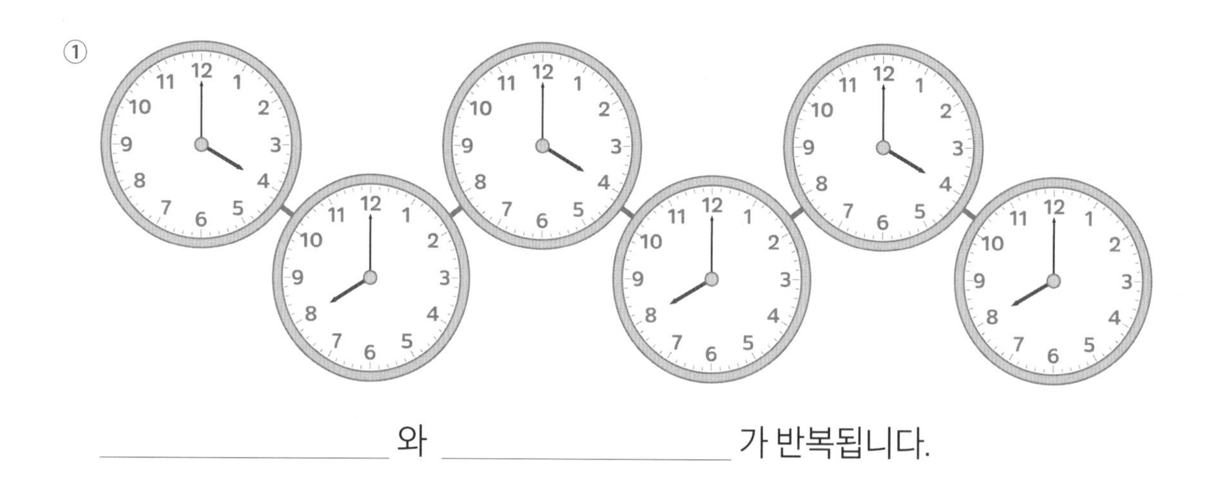

________ 와 ________ 가 반복됩니다.

②

짧은바늘이 가리키는 수가 ______ 씩 커집니다.

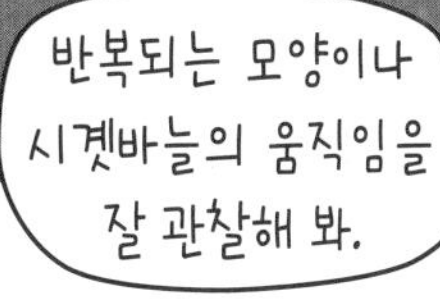

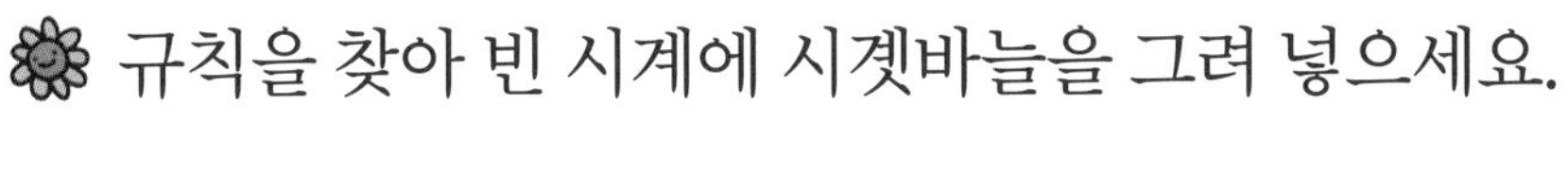

규칙을 찾아 빈 시계에 시곗바늘을 그려 넣으세요.

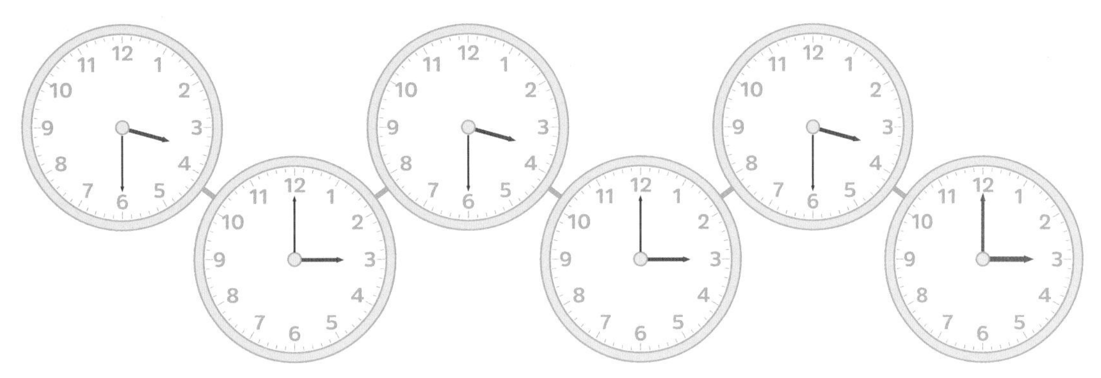

3시 30분과 3시가 반복됩니다.

①

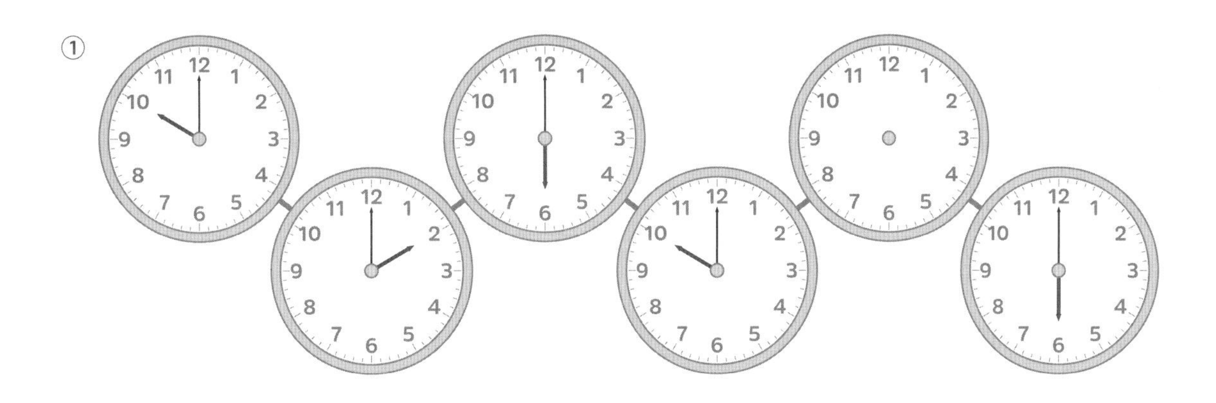

②

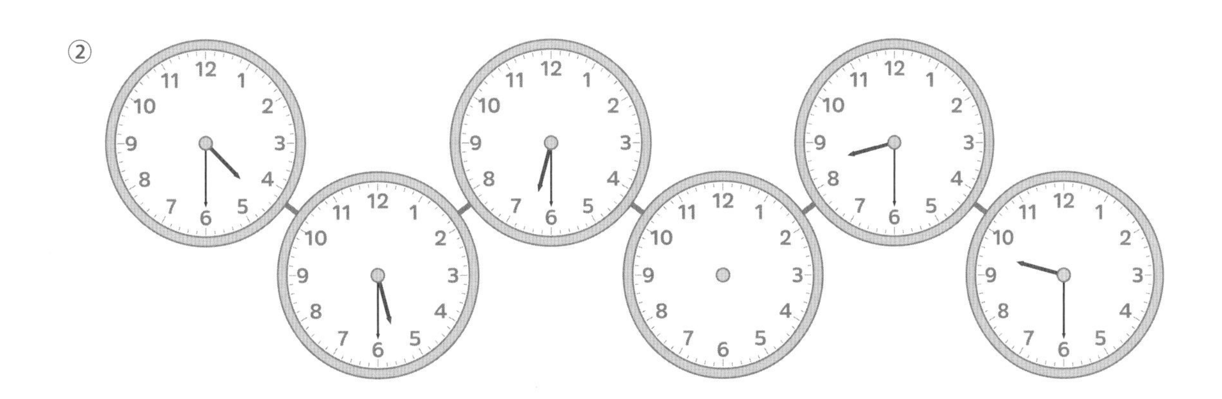

확인학습

텔레비전 시간표를 보고 물음에 답하세요.

아침 뉴스	6 : 00	신기한 동물	9 : 00
마술 콘서트	7 : 30	보드게임	10 : 00
썬더의 모험	8 : 30	정글 대탐험	11 : 30

① 10시에 시작하는 프로그램은 무엇일까요?

____

② 마술 콘서트가 시작하는 시각을 구하세요.

____

③ 6시에 시작하는 프로그램은 무엇일까요?

____

④ 시계의 긴바늘이 12를 가리키고, 짧은바늘이 9를 가리킬 때 시작하는 프로그램은 무엇일까요?

____

⑤ 썬더의 모험이 시작할 때 시계의 긴바늘이 가리키는 숫자는 무엇일까요?

____

다음 물음에 답하세요.

⑥ 콩쥐와 팥쥐가 저녁에 청소를 마친 시각입니다. 청소를 나중에 마친 사람은 누구일까요?

콩쥐

팥쥐

____

⑦ 세 사람이 저녁 공부를 끝낸 시각입니다. 저녁 공부를 가장 일찍 끝낸 사람은 누구일까요?

준희

가람

영우

____

⑧ 3일 동안 점심을 먹기 시작한 시각입니다. 점심을 가장 늦게 먹은 날은 무슨 요일일까요?

수요일

목요일

금요일

____

확인학습

아침부터 저녁까지의 일입니다. 순서대로 시간표를 완성해 보세요.

⑨

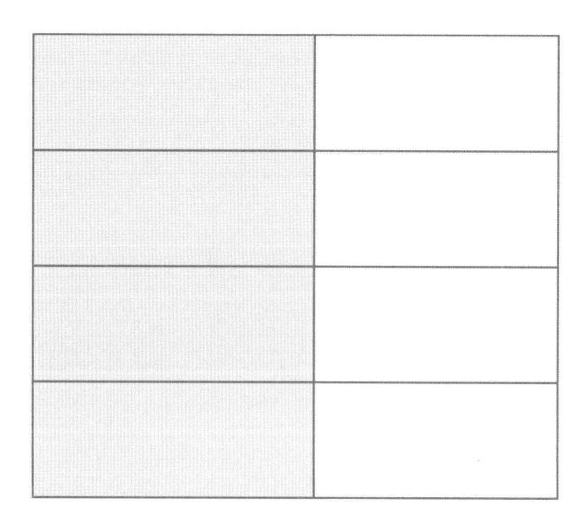

규칙을 찾아 빈 시계에 시곗바늘을 그려 넣으세요.

⑩

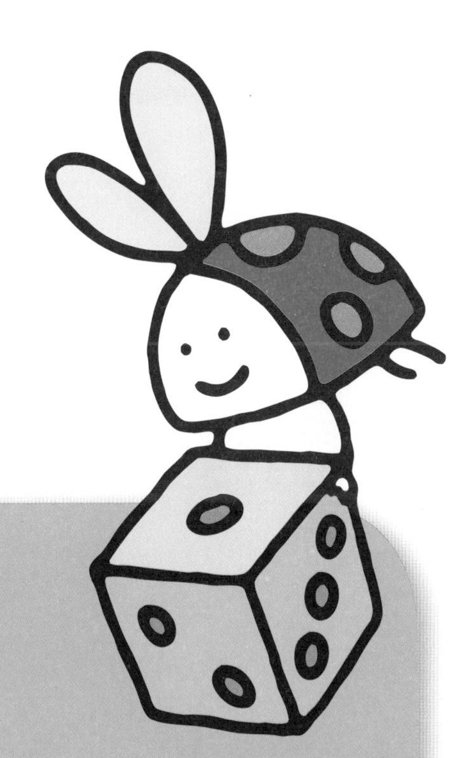

3주차

수 규칙

1일 반복되는 수

규칙을 찾아 설명하고, 빈칸에 알맞은 수를 써넣으세요.

2, 3, 5 가 반복되는 규칙입니다.

①

＿＿＿＿＿ 이 반복되는 규칙입니다.

②

＿＿＿＿＿ 이 반복되는 규칙입니다.

③ 4 … 2 … 4 … 4 … 2 … ☐ … 4

＿＿＿＿＿ 가 반복되는 규칙입니다.

수가 반복되는 마디
를 찾아 표시하면 규칙
을 찾을 수 있어.

다음 물음에 답하세요.

연지는 줄넘기를 하루에 10개, 10개, 15개씩 하기를 반복합니다. 연지가 줄넘기를 한 지 6일째에 하는 줄넘기는 몇 개일까요?

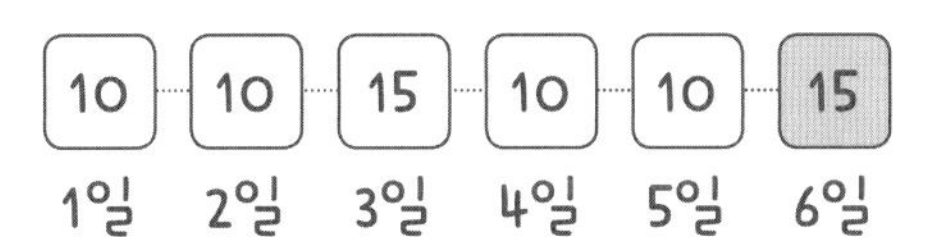

15개

① 주인이는 귤을 하루에 2개, 3개씩 먹기를 반복합니다. 주인이가 귤을 먹은 지 7일째에 먹는 귤은 몇 개일까요?

② 기주가 날씨를 기록하는 동안 날씨가 맑음, 흐림, 맑음이 반복되었습니다. 기주가 날씨를 기록한 지 8일째의 날씨는 어땠을까요?

③ 시골 마을의 닭이 하루에 3번, 4번, 5번씩 울기를 반복합니다. 닭이 운 지 9일째에 닭은 몇 번 울까요?

2일 늘어나는 수

규칙을 찾아 설명하고, 빈칸에 알맞은 수를 써넣으세요.

5 부터 시작하여 2 씩 커집니다.

①
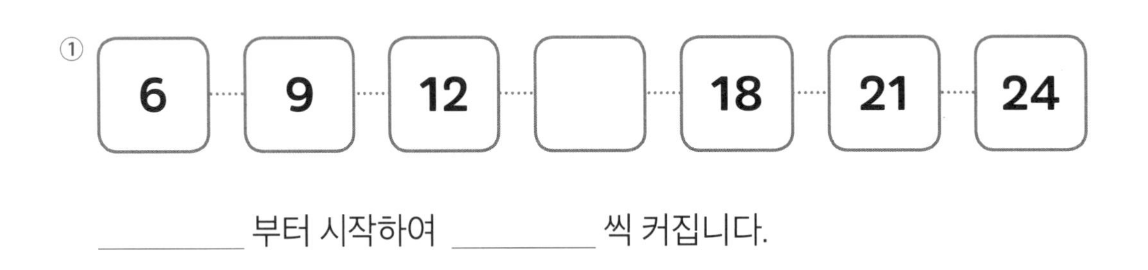

_____ 부터 시작하여 _____ 씩 커집니다.

②

_____ 부터 시작하여 _____ 씩 커집니다.

③

_____ 부터 시작하여 _____ 씩 커집니다.

이웃한 수끼리 차를
구하여 몇씩 커지는지
알아내어 보자.

다음 물음에 답하세요.

희정이는 스티커를 9장 가지고 있는데 매일 5개씩 더 모으려고 합니다. 스티커를 모은 지 4일 후에 희정이가 가진 스티커는 몇 장일까요?

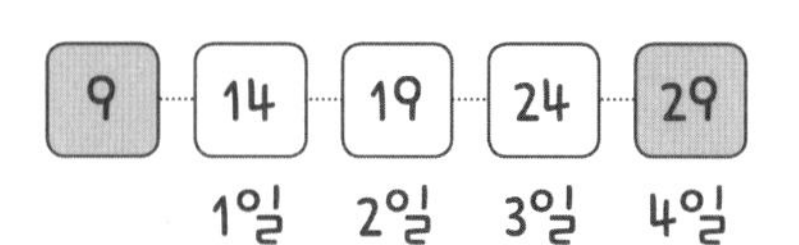

29장

① 연못에 개구리가 7마리 있는데 하루에 3마리씩 더 늘어납니다. 개구리가 늘어난 지 6일 후에 연못에 있는 개구리는 몇 마리일까요?

② 우진이는 그림책을 21쪽 읽었는데 매일 4쪽씩 더 읽으려고 합니다. 그림책을 더 읽은 지 7일째까지 우진이가 읽은 그림책은 몇 쪽일까요?

③ 정원에 튤립이 12송이 피어 있는데 매일 10송이씩 더 핀다고 합니다. 튤립이 더 핀 지 5일 후에 정원에 피어 있는 튤립은 몇 송이일까요?

3일 줄어드는 수

규칙을 찾아 설명하고, 빈칸에 알맞은 수를 써넣으세요.

50 부터 시작하여 5 씩 작아집니다.

① 15 … 13 … 11 … 9 … 7 … ☐ … 3

____ 부터 시작하여 ____ 씩 작아집니다.

② 33 … 29 … 25 … 21 … 17 … 13 … ☐

____ 부터 시작하여 ____ 씩 작아집니다.

③ 81 … 71 … 61 … 51 … ☐ … 31 … 21

____ 부터 시작하여 ____ 씩 작아집니다.

하루에 2씩 줄면 처음보다 2, 4, 6, 8, ...만큼 점점 줄어들지.

다음 물음에 답하세요.

냉장고에 사과가 15개 있었는데 하루에 2개씩 먹으려고 합니다. 사과를 먹은 지 5일 후에 냉장고에 있는 사과는 몇 개일까요?

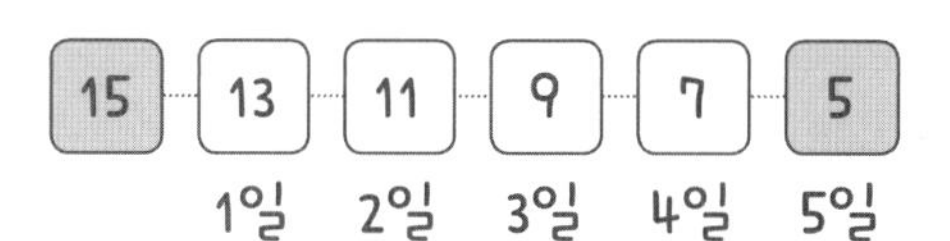

5개

① 현중이는 80쪽짜리 동화책을 하루에 4쪽씩 읽으려고 합니다. 동화책을 읽은 지 6일 후에 남아 있는 동화책은 몇 쪽일까요?

______

② 초 34개가 켜져 있는데 숨을 한 번 불 때마다 3개씩 꺼집니다. 숨을 4번 불었을 때 남은 초는 몇 개일까요?

______

③ 버스에 39명이 타고 있었는데 정류장마다 5명씩 내립니다. 5번째 정류장을 지났을 때 버스에 남은 사람은 몇 명일까요?

______

4일 합이 같은 규칙

연결된 두 수의 관계를 설명하고, 빈칸에 알맞은 수를 써넣으세요.

연결된 두 수의 합이 5 입니다.

①

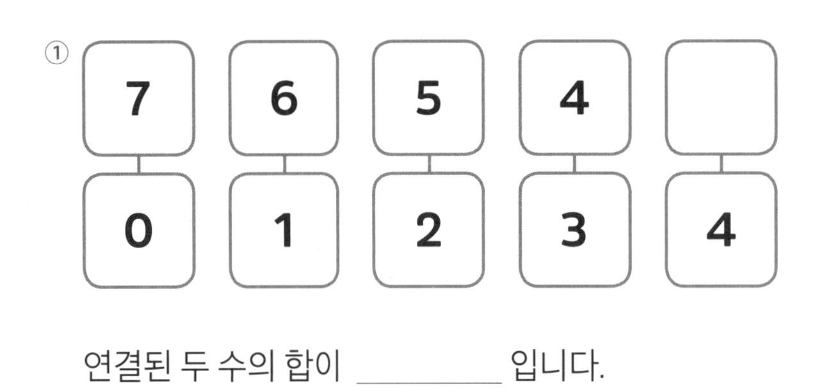

연결된 두 수의 합이 ______ 입니다.

②

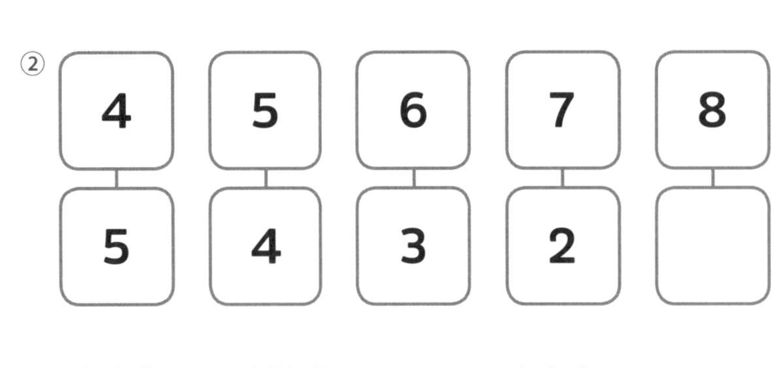

연결된 두 수의 합이 ______ 입니다.

가진 것을 서로 주고
받아도 가진 것의 합은
달라지지 않아.

다음 물음에 답하세요.

사탕을 희진이는 4개, 수혁이는 3개 가지고 있었습니다. 희진이가 수혁이에게 사탕 몇 개를 더 주었더니 수혁이가 가진 사탕은 6개가 되었습니다. 희진이가 가진 사탕은 몇 개일까요?

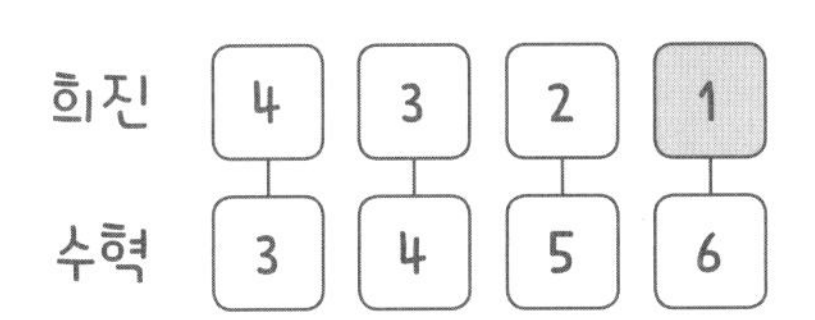
희진
4
3
2
1
수혁
3
4
5
6

1개

① 정재는 우표를 1장 편지에 붙이고 18장이 남았습니다. 정재가 우표를 몇 장 더 붙였더니 남은 우표는 13장이 되었습니다. 정재가 편지에 붙인 우표는 모두 몇 장일까요?

______

② 준우가 사과를 1개 먹었더니 7개가 남았습니다. 준우가 사과를 몇 개 더 먹었더니 먹은 사과는 모두 5개였습니다. 준우가 먹고 남은 사과는 몇 개일까요?

______

5일 차가 같은 규칙

❀ 연결된 두 수의 관계를 설명하고, 빈칸에 알맞은 수를 써넣으세요.

아래의 수가 위의 수보다 1 만큼 큽니다 .

①

아래의 수가 위의 수보다 ______ 만큼 ______ .

②

아래의 수가 위의 수보다 ______ 만큼 ______ .

두 사람의 나이 차는
몇 년이 지나도 항상
변하지 않지.

다음 물음에 답하세요.

공책을 로이는 10권, 수지는 12권 가지고 있었습니다. 두 사람에게 각각 공책을 똑같은 수만큼 더 주었더니 로이가 가진 공책은 15권이 되었습니다. 수지가 가진 공책은 몇 권일까요?

17권

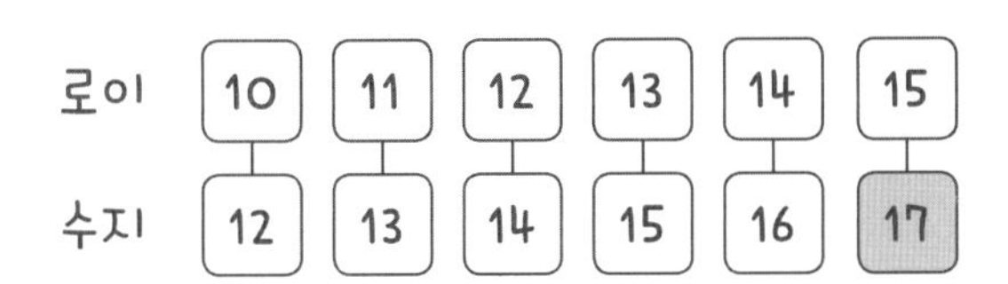

① 귤을 지혜는 9개, 성재는 6개 가지고 있었습니다. 두 사람이 귤을 똑같은 수만큼 먹었더니 성재가 가진 귤은 1개가 되었습니다. 지혜가 가진 귤은 몇 개일까요?

② 올해 누나는 14살, 동생은 10살입니다. 몇 년 뒤에 동생은 13살이 되었습니다. 누나는 몇 살이 되었을까요?

확인학습

규칙을 찾아 설명하고, 빈칸에 알맞은 수를 써넣으세요.

①

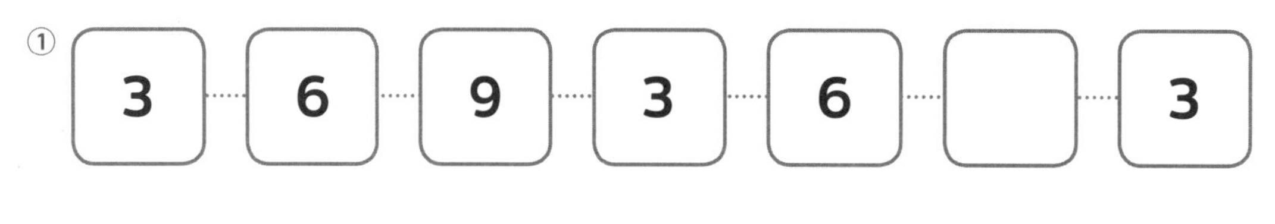

_______ 가 반복되는 규칙입니다.

②

_______ 부터 시작하여 _______ 씩 커집니다.

③

_______ 부터 시작하여 _______ 씩 작아집니다.

④

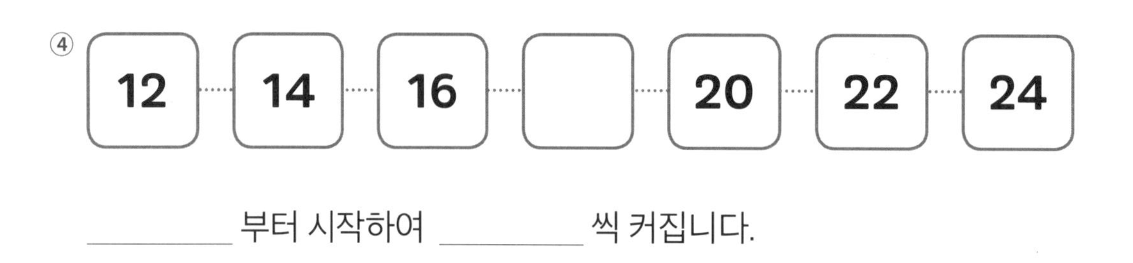

_______ 부터 시작하여 _______ 씩 커집니다.

다음 물음에 답하세요.

⑤ 수련이는 동화책을 하루에 5쪽, 10쪽, 15쪽씩 읽기를 반복합니다. 수련이가 동화책을 읽은 지 7일째에 읽는 동화책은 몇 쪽일까요?

____

⑥ 색종이가 53장 있었는데 종이개구리 1마리를 만들 때마다 2장씩 씁니다. 종이개구리 9마리를 만들면 남아 있는 색종이는 몇 장일까요?

____

⑦ 복숭아나무에 복숭아가 8개 열려 있었는데 하루에 3개씩 더 열린다고 합니다. 더 열린 지 7일째에 복숭아나무에 열려 있는 복숭아는 몇 개일까요?

____

⑧ 논에 올챙이가 34마리 있었는데 매일 4마리씩 줄어듭니다. 올챙이가 줄어든 지 7일 후에 논에 남아 있는 올챙이는 몇 마리일까요?

____

확인학습

다음 물음에 답하세요.

⑨ 올해 아빠는 46살, 엄마는 49살입니다. 몇 년 전 엄마가 43살일 때 아빠는 몇 살이었을까요?

⑩ 스티커를 소은이는 7장, 봄이는 11장 가지고 있었습니다. 소은이가 봄이에게 스티커를 몇 장 주었더니 소은이가 가진 스티커는 4장이 되었습니다. 봄이가 가진 스티커는 몇 장일까요?

⑪ 연필을 혁민이는 15자루, 두기는 16자루 가지고 있었습니다. 두 사람이 연필을 똑같은 수만큼 더 샀더니 혁민이가 가진 연필은 18자루가 되었습니다. 두기가 가진 연필은 몇 자루일까요?

4주차

수 배열표

1일 백판 수 배열표

백판 수 배열표를 모두 채워 보세요.

①

1	2	3	4	5	6	7	8	9	
11	12	13		15	16	17	18	19	20
21	22	23		25	26	27	28		30
31	32	33	34	35		37	38	39	40
41	42	43	44	45	46		48	49	50
	52	53	54	55	56	57	58		60
61	62		64	65	66		68	69	70
71	72	73	74		76	77	78		80
81	82		84	85	86	87	88	89	90
	92	93	94		96	97	98	99	100

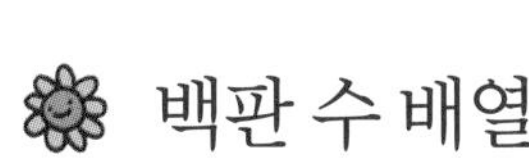

100까지의 수를 한 줄에 10개씩 써넣은 표를 백판이라고 해.

백판 수 배열표를 보고 밑줄친 곳에 알맞은 수를 써넣으세요.

33에서 오른쪽으로 4칸 떨어져 있는 수는 __37__ 입니다.

33	34	35	36	37
	1칸	2칸	3칸	4칸

① 88에서 위로 6칸 떨어져 있는 수는 ______ 입니다.

② 78에서 왼쪽으로 4칸 떨어져 있는 수는 ______ 입니다.

③ 25에서 아래로 3칸 떨어져 있는 수는 ______ 입니다.

④ 66보다 50 작은 수는 ______ 입니다.

⑤ 71보다 7 더 큰 수는 ______ 입니다.

백판 조각

다음은 백판의 일부입니다. 알맞게 채워 보세요.

①

12			15		17	18		20
					37			

②

52				56		58
62						
72						

③

			74				
					86		
91					96		

23 큰 수를 찾으려면
아래로 2칸, 오른쪽으
로 3칸 가면 돼.

 백판의 일부를 사용하여 다음 물음에 답하세요.

62보다 23 큰 수는 얼마입니까?

답 : 85

62				
72				
82	83	84	85	

23 큰 수는 20 큰 수보다
3 더 큰 수입니다.

① 34보다 14 큰 수는 얼마입니까?

답 : ______

34				

② 48보다 32 작은 수는 얼마입니까?

답 : ______

48

③ 85보다 34 작은 수는 얼마입니까?

답 : ______

				85

3일 백판 뛰어 세기

규칙을 찾아 색칠하고, 색칠한 수의 규칙을 설명해 보세요.

1	2	3	4	5	6	7	8	9	10
11	12	13	14	15	16	17	18	19	20
21	22	23	24	25	26	27	28	29	30

2 부터 시작하여 2 씩 뛰어 세는 규칙입니다.

①

31	32	33	34	35	36	37	38	39	40
41	42	43	44	45	46	47	48	49	50
51	52	53	54	55	56	57	58	59	60

______ 부터 시작하여 ______ 씩 뛰어 세는 규칙입니다.

②

61	62	63	64	65	66	67	68	69	70
71	72	73	74	75	76	77	78	79	80
81	82	83	84	85	86	87	88	89	90

______ 부터 시작하여 ______ 씩 뛰어 세는 규칙입니다.

몇씩 뛰어 세는 규칙과 몇씩 커지는 규칙은 같은 규칙이야.

극장의 좌석 배열표를 보고 물음에 답하세요.

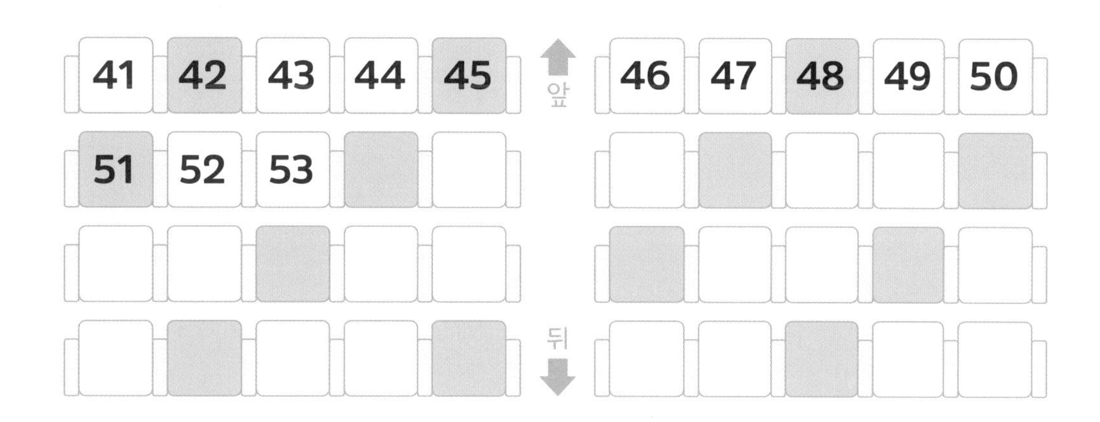

53번 좌석에서 오른쪽으로 4칸, 앞으로 1칸 떨어져 있는 좌석은 몇 번일까요?

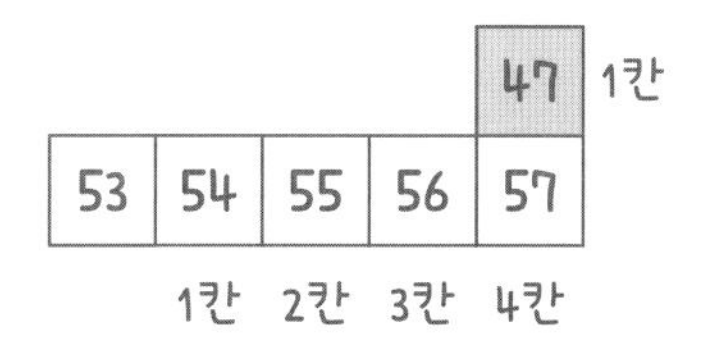

47번

① 49번 좌석에서 뒤로 3칸, 왼쪽으로 5칸 떨어져 있는 좌석은 몇 번일까요?

② 색칠한 좌석 중 49번 좌석과 같은 세로줄에 있는 좌석은 몇 번일까요?

③ 색칠한 좌석 중 좌석 번호가 2번째로 큰 좌석은 몇 번일까요?

4일 가로 수 배열

수 배열의 규칙을 찾아 배열표를 알맞게 채워 보세요.

①

1	2	3
4	5	6
7		9
13		15

②

13	14		16	17
18	19			
23	24		26	27
			31	32
33	34		36	37

③

24	23	22	21
			17
16			13
12			9
8			
4	3	2	1

④

66	67	
		65
60	61	
	58	59
54		
	52	53

달력의 가로줄에는
날짜가 7개씩 순서대로
들어가 있어.

9월 달력의 일부입니다. 물음에 답하세요.

일	월	화	수	목	금	토
			1	2	3	4
5	6	7	8	9	10	11
12						

9월 4일에서 아래로 2칸 떨어져 있는 날은 9월 며칠일까요?

4	
11	1칸
18	2칸

아래로 1칸 갈수록 7일씩 늘어납니다.

18일

① 9월 12일은 일요일입니다. 9월 12일에서 10일 후는 무슨 요일일까요?

② 9월의 첫 번째 월요일은 6일입니다. 9월의 네 번째 월요일은 9월 며칠일까요?

③ 9월은 30일까지 있습니다. 9월의 마지막 날은 무슨 요일일까요?

5일 세로 수 배열

수 배열의 규칙을 찾아 배열표를 알맞게 채워 보세요.

①

1	4	7			16
2	5			14	17
3			12	15	18

②

41	43				51	53	55
42	44	46				54	56

③

28	24		16			4
27	23	19			7	3
26	22			10	6	2
25			13		5	1

❀ 사물함에 번호를 붙였습니다. 물음에 답하세요.

1	5	9					
2	6	10					
3	7						
4	8						

10번 사물함에서 오른쪽으로 4칸 떨어져 있는 사물함은 몇 번일까요?

26번

10	14	18	22	26
	1칸	2칸	3칸	4칸

오른쪽으로 1칸 갈수록 번호가 4씩 커집니다.

① 8번 사물함에서 위로 3칸, 오른쪽으로 6칸 떨어져 있는 사물함은 몇 번일까요?

② 위에서 3번째 가로줄, 왼쪽에서 5번째 세로줄에 있는 사물함은 몇 번일까요?

확인학습

백판 수 배열표의 일부를 모두 채우고 물음에 답하세요.

①

51	52	53	54	55	56	57		59	60
61			64		66		68		70
71	72	73	74		76	77	78	79	
	82	83	84	85		87	88	89	90

② 83에서 위로 3칸 떨어져 있는 수는 ________ 입니다.

③ 79에서 왼쪽으로 7칸 떨어져 있는 수는 ________ 입니다.

④ 53보다 4 큰 수는 ________ 입니다.

⑤ 66보다 20 큰 수는 ________ 입니다.

극장의 좌석 배열표를 보고 물음에 답하세요.

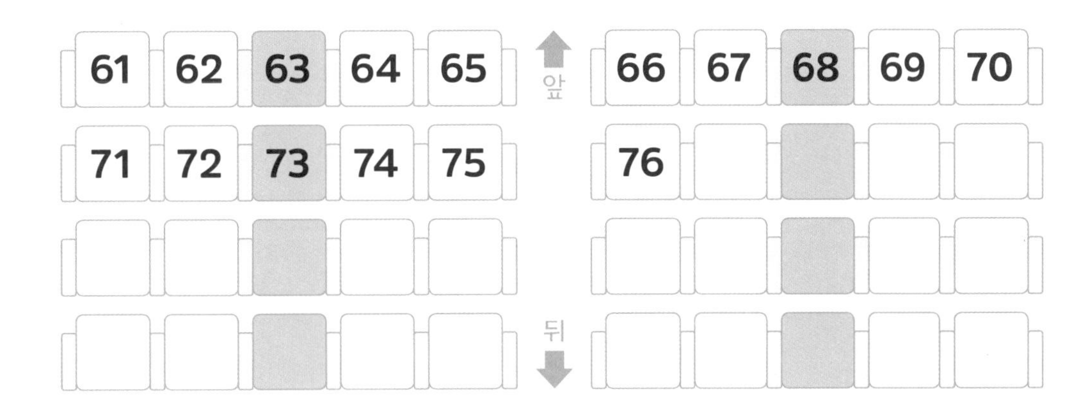

⑥ 70번 좌석에서 왼쪽으로 8칸, 뒤로 3칸 떨어져 있는 좌석은 몇 번일까요?

⑦ 75번 좌석에서 뒤로 1칸, 오른쪽으로 4칸 떨어져 있는 좌석은 몇 번일까요?

⑧ 색칠한 좌석 중 좌석 번호가 3번째로 큰 좌석은 몇 번일까요?

⑨ 색칠한 좌석 중 좌석 번호가 가장 큰 좌석에서 왼쪽으로 2칸, 앞으로 2칸 떨어져 있는 좌석은 몇 번일까요?

확인학습

사물함에 번호를 붙였습니다. 물음에 답하세요.

3	6	9						
2	5	8						
1	4	7	10					

⑩ 9번 사물함에서 오른쪽으로 4칸 떨어져 있는 사물함은 몇 번일까요?

____

⑪ 10번 사물함에서 위로 1칸, 왼쪽으로 3칸 떨어져 있는 사물함은 몇 번일까요?

____

⑫ 번호가 가장 큰 사물함은 몇 번일까요?

____

⑬ 맨 아래의 가로줄, 오른쪽에서 4번째 세로줄에 있는 사물함은 몇 번일까요?

____

진단평가

진단평가에는 앞에서 학습한 4주차의 문장제 활동이 순서대로 나옵니다. 잘못 푼 문제가 있으면 몇 주차인지 확인하여 반드시 한 번 더 복습해 봅니다.

1주차	3주차
2주차	4주차

1회차 진단평가

✎ 시계를 보고 밑줄친 곳에 알맞은 말을 써넣으세요.

①

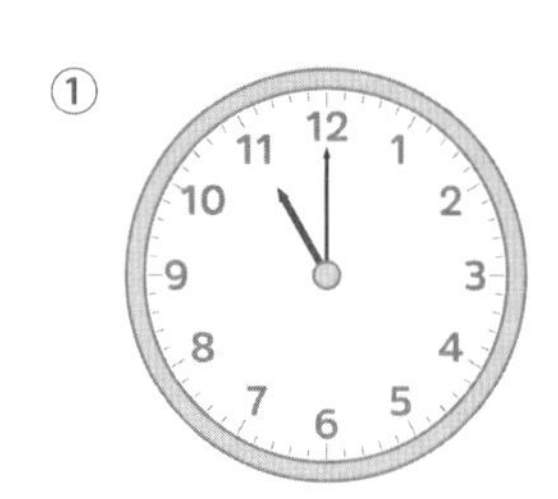

__________ 에 운동을 했습니다.

②

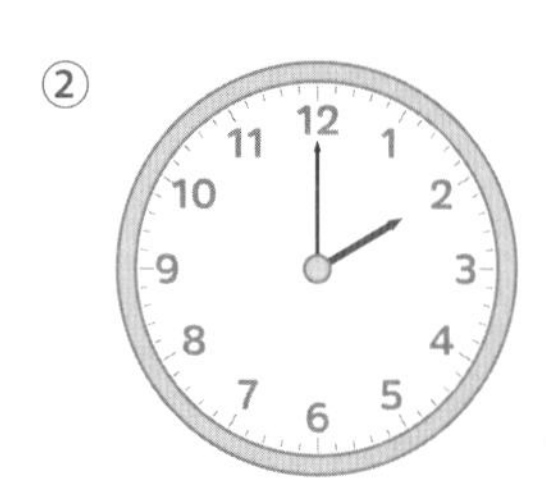

점심을 먹은 시각은 __________ 입니다.

✎ 규칙을 찾아 빈 시계에 시곗바늘을 그려 넣으세요.

③

월 일	
제한 시간	10분
맞은 개수	/ 7개

다음 물음에 답하세요.

④ 색종이 5장과 색종이로 접은 종이학 1마리가 있습니다. 색종이로 종이학을 몇 마리 더 접었더니 남은 색종이는 2장이 되었습니다. 접은 종이학은 모두 몇 마리일까요?

______

⑤ 양쪽 면이 각각 빨간색과 파란색인 색종이가 있습니다. 윗면이 빨간색인 것이 4장, 파란색인 것이 5장이었는데 몇 장을 뒤집었더니 윗면이 빨간색인 것이 8장이 되었습니다. 윗면이 파란색인 것은 몇 장일까요?

______

규칙을 찾아 색칠하고, 색칠한 수의 규칙을 설명해 보세요.

⑥

21	22	23	24	25	26	27	28	29	30
31	32	33	34	35	36	37	38	39	40

______ 부터 시작하여 ______ 씩 뛰어 세는 규칙입니다.

⑦

81	82	83	84	85	86	87	88	89	90
91	92	93	94	95	96	97	98	99	100

______ 부터 시작하여 ______ 씩 뛰어 세는 규칙입니다.

2회차

진단평가

시계를 보고 밑줄친 곳에 알맞은 말을 써넣으세요.

①

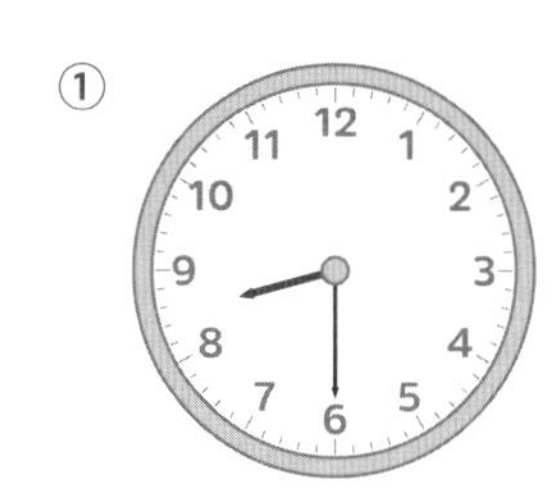

__________ 에 텔레비전을 보았습니다.

②

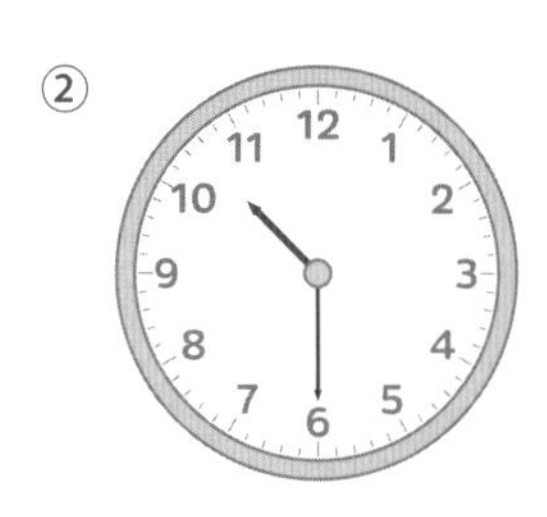

수학 공부를 한 시각은 __________ 입니다.

시간표를 보고 밑줄친 곳에 알맞은 말을 써넣으세요.

수영	3 : 30
피아노	5 : 00
독서	8 : 30

③

____

④

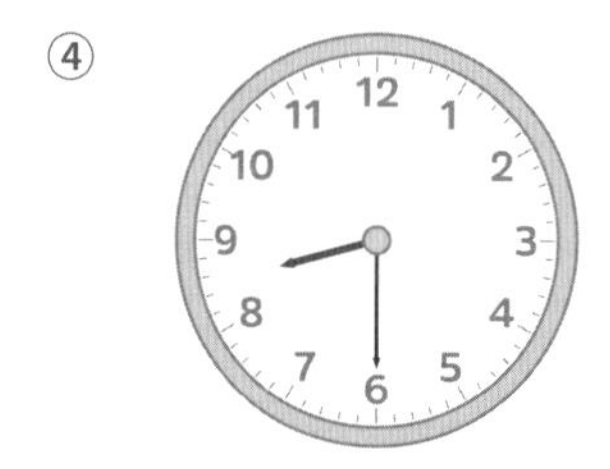

____

⑤

____

월 일	
제한 시간	10분
맞은 개수	/ 9개

다음 물음에 답하세요.

⑥ 색종이를 해민이는 25장, 자욱이는 29장 가지고 있었습니다. 두 사람이 색종이를 똑같은 수만큼 썼더니 자욱이에게 남은 색종이는 27장이 되었습니다. 해민이에게 남은 색종이는 몇 장일까요?

____

⑦ 올해 엄마는 41살, 동생은 3살입니다. 몇 년 뒤 동생이 9살이 될 때 엄마는 몇 살일까요?

____

10월 달력의 일부입니다. 물음에 답하세요.

일	월	화	수	목	금	토
1	2	3	4	5	6	7
8	9	10				

⑧ 10월의 첫 번째 목요일은 5일입니다. 10월의 세 번째 목요일은 10월 며칠일까요?

____

⑨ 10월은 31일까지 있습니다. 10월의 마지막 날은 무슨 요일일까요?

____

3회차

진단평가

이야기에 나오는 시각을 시계에 나타내어 보세요.

① 민지는 4시 30분에 공원에서 친구와 만나기로 했습니다.

② 달이 뜬 시각은 저녁 6시입니다.

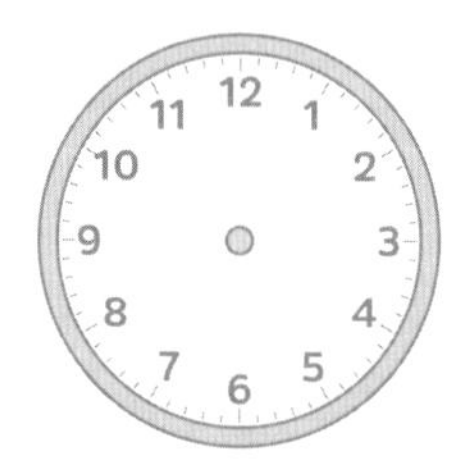

다음 물음에 답하세요.

③ 레오와 현석이가 아침에 요리를 끝낸 시각입니다. 요리를 먼저 끝낸 사람은 누구일까요?

레오

현석

④ 월요일과 화요일에 학교를 마친 시각입니다. 학교를 더 늦게 마친 날은 무슨 요일일까요?

월요일

화요일

월 일	
제한 시간	10분
맞은 개수	/ 8개

다음 물음에 답하세요.

⑤ 장군이는 우유를 하루에 2잔, 1잔씩 마시기를 반복합니다. 우유를 마신 지 10일째에 장군이가 마시는 우유는 몇 잔일까요?

⑥ 장식 전구가 매일 빨간색, 파란색, 보라색으로 바뀌기를 반복합니다. 전구가 켜진 지 8일째에 전구는 무슨 색깔일까요?

수 배열의 규칙을 찾아 배열표를 알맞게 채워 보세요.

⑦

	35	34	33
		38	37
44	43		
48	47	46	

⑧

51	54	57		
50				62
		55	58	61

진단평가

다음 물음에 답하세요.

① 12시에 해가 가장 높이 뜹니다. 짧은바늘이 가리키는 숫자는 무엇일까요?

____

② 애니메이션이 시작되는 시각은 10시 30분입니다. 짧은바늘은 어떤 두 수 사이에 있을까요?

____

기차가 도착한 시각을 수직선에 나타내어 보세요.

④

⑤

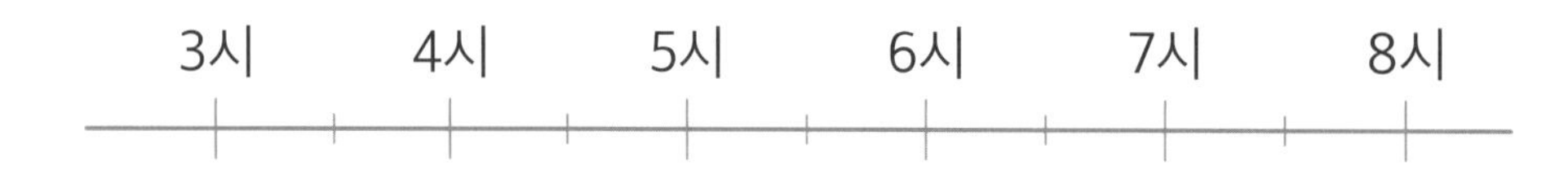

월 일
제한 시간 10분
맞은 개수 /10개

다음 물음에 답하세요.

⑥ 다람쥐가 도토리를 3개 가지고 있는데 하루에 2개씩 더 모으려고 합니다. 도토리를 더 모은 지 8일 후에 다람쥐가 가진 도토리는 몇 개일까요?

______

⑦ 우창이는 우표를 15장 가지고 있는데 하루에 5장씩 더 모으려고 합니다. 우표를 더 모은 지 6일 후에 우창이가 가진 우표는 몇 장일까요?

______

백판 수 배열표의 일부를 모두 채우고 물음에 답하세요.

⑧

21	22			25	26	27	28	29	30
31	32	33	34		36	37	38		40
	42	43	44	45			48	49	

⑨ 34에서 오른쪽으로 5칸 떨어져 있는 수는 ______ 입니다.

⑩ 48보다 20 작은 수는 ______ 입니다.

5회차

진단평가

다음 물음에 답하세요.

① 연두는 긴바늘이 12를 가리키고, 짧은바늘이 9를 가리킬 때 잠자리에 들었습니다. 연두가 잠자리에 든 시각을 구하세요.

____

② 긴바늘이 6을 가리키고, 짧은바늘이 6과 7 사이에 있을 때 강아지에게 밥을 주었습니다. 강아지에게 밥을 준 시각을 구하세요.

____

아침부터 저녁까지의 일입니다. 순서대로 시간표를 완성해 보세요.

③

	월 일
제한 시간	10분
맞은 개수	/ 7개

다음 물음에 답하세요.

④ 영준이는 동전을 25개 가지고 있었는데 하루에 3개씩 썼습니다. 동전을 쓴 지 5일 후에 남아 있는 동전은 몇 개일까요?

____

⑤ 비눗방울이 42개 있는데 눈을 한 번 깜빡일 때마다 5개씩 줄어듭니다. 눈을 4번 깜빡이면 남아 있는 비눗방울은 몇 개일까요?

____

백판의 일부를 사용하여 다음 물음에 답하세요.

⑥ 77보다 14 작은 수는 얼마입니까?

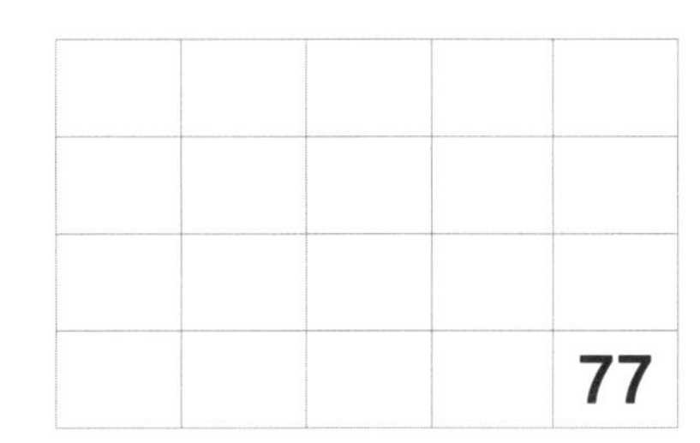

답 : __________

⑦ 4보다 33 큰 수는 얼마입니까?

4				

답 : __________

Memo

하루 10분 서술형/문장제 학습지

씨투엠

수학 독해

A3 시계와 규칙

초1~초2

정답

A3 시계와 규칙

초1~초2

P 06 ~ 07

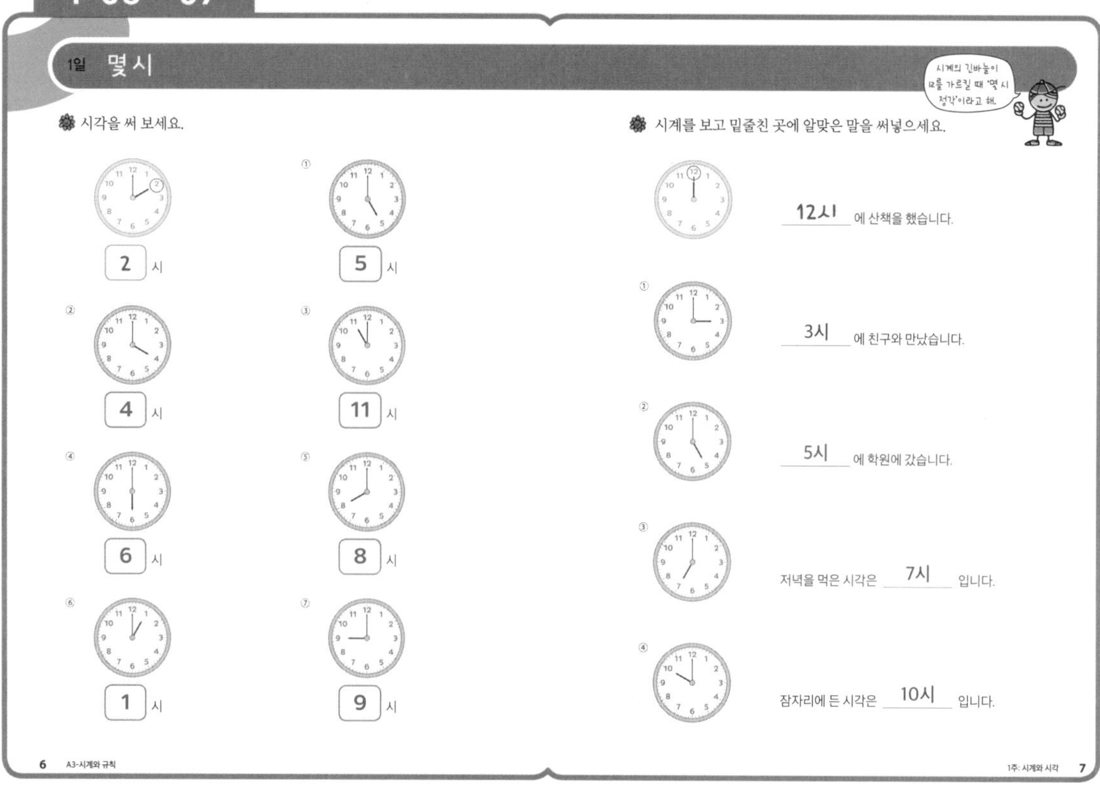

1일 몇 시

시계의 긴바늘이 12를 가리킬 때 '몇 시 정각'이라고 해.

시각을 써 보세요.

(보기) 2 시

① 5 시

② 4 시

③ 11 시

④ 6 시

⑤ 8 시

⑥ 1 시

⑦ 9 시

시계를 보고 밑줄친 곳에 알맞은 말을 써넣으세요.

(보기) 12시 에 산책을 했습니다.

① 3시 에 친구와 만났습니다.

② 5시 에 학원에 갔습니다.

③ 저녁을 먹은 시각은 7시 입니다.

④ 잠자리에 든 시각은 10시 입니다.

6 A3-시계와 규칙 / 1주: 시계와 시각 7

P 08 ~ 09

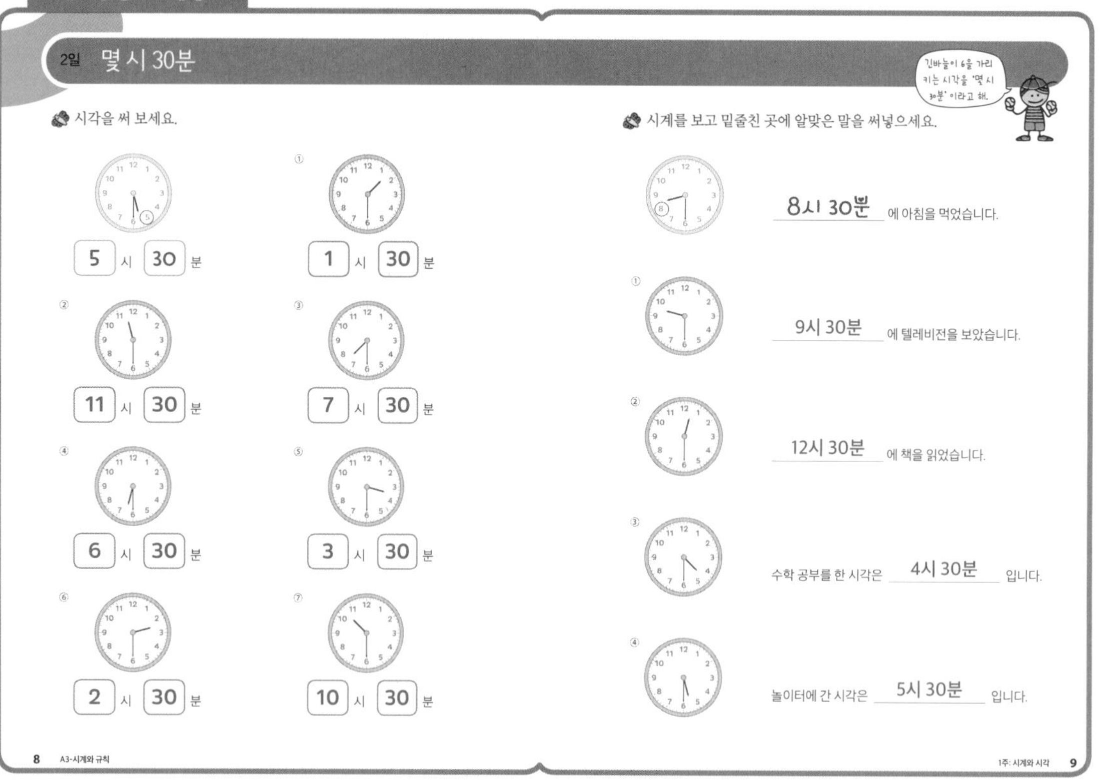

2일 몇 시 30분

긴바늘이 6을 가리키는 시각을 '몇 시 30분'이라고 해.

시각을 써 보세요.

(보기) 5 시 30 분

① 1 시 30 분

② 11 시 30 분

③ 7 시 30 분

④ 6 시 30 분

⑤ 3 시 30 분

⑥ 2 시 30 분

⑦ 10 시 30 분

시계를 보고 밑줄친 곳에 알맞은 말을 써넣으세요.

(보기) 8시 30분 에 아침을 먹었습니다.

① 9시 30분 에 텔레비전을 보았습니다.

② 12시 30분 에 책을 읽었습니다.

③ 수학 공부를 한 시각은 4시 30분 입니다.

④ 놀이터에 간 시각은 5시 30분 입니다.

8 A3-시계와 규칙 / 1주: 시계와 시각 9

P 10 ~ 11

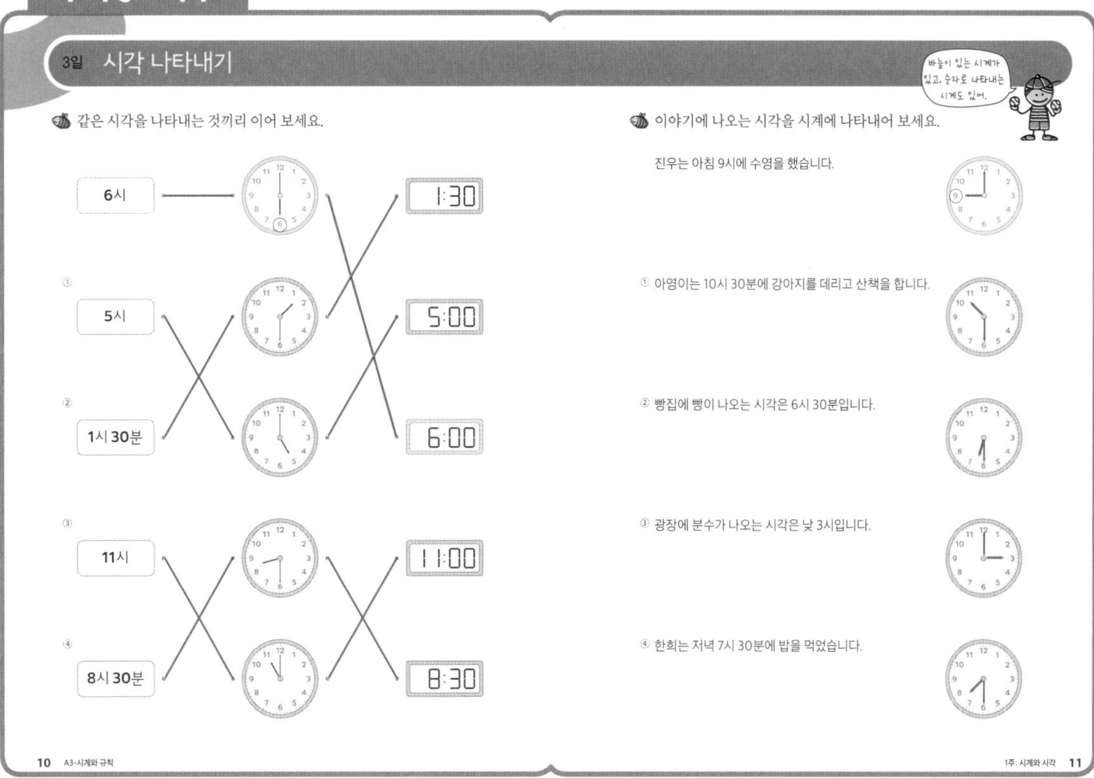

3일 시각 나타내기

바늘이 있는 시계가 있고, 숫자로 나타내는 시계도 있어.

같은 시각을 나타내는 것끼리 이어 보세요.

6시

① 5시

② 1시 30분

③ 11시

④ 8시 30분

1:30

5:00

6:00

11:00

8:30

이야기에 나오는 시각을 시계에 나타내어 보세요.

진우는 아침 9시에 수영을 했습니다.

① 아영이는 10시 30분에 강아지를 데리고 산책을 합니다.

② 빵집에 빵이 나오는 시각은 6시 30분입니다.

③ 광장에 분수가 나오는 시각은 낮 3시입니다.

④ 한희는 저녁 7시 30분에 밥을 먹었습니다.

10 A3-시계와 규칙 1주: 시계와 시각 11

P 12 ~ 13

4일 시곗바늘

긴바늘은 분을 나타내고 짧은바늘은 시를 나타내지.

시계를 보고 빈칸에 알맞은 수를 써넣으세요.

긴바늘은 12 를 가리킵니다.
짧은바늘은 8 을 가리킵니다.

① 긴바늘은 6 을 가리킵니다.
짧은바늘은 4 와 5 사이에 있습니다.

② 긴바늘은 12 를 가리킵니다.
짧은바늘은 1 을 가리킵니다.

③ 긴바늘은 6 을 가리킵니다.
짧은바늘은 11 과 12 사이에 있습니다.

다음 물음에 답하세요.

진아가 학교에 간 시각은 9시입니다. 긴바늘이 가리키는 숫자는 무엇일까요?
12

① 아침 식사는 8시 30분에 시작됩니다. 긴바늘이 가리키는 숫자는 무엇일까요?
6

② 3시에 종이 울렸습니다. 짧은바늘이 가리키는 숫자는 무엇일까요?
3

③ 아버지는 6시 30분에 약수터에 갑니다. 짧은바늘은 어떤 두 수 사이에 있을까요?
6과 7

④ 도윤이가 12시 30분에 동네 서점에 갔습니다. 짧은바늘은 어떤 두 수 사이에 있을까요?
12와 1

12 A3-시계와 규칙 1주: 시계와 시각 13

P 14 ~ 15

5일 시각을 구하세요

긴바늘과 짧은바늘이 가리키는 모양을 머릿속으로 그려 봐.

❀ 시곗바늘을 그려 넣고 시각을 써 보세요.

긴바늘은 6을 가리킵니다.
짧은바늘은 10과 11 사이에 있습니다.

시계가 나타내는 시각은 10시 30분 입니다.

① 긴바늘은 12를 가리킵니다.
짧은바늘은 2를 가리킵니다.

시계가 나타내는 시각은 2시 입니다.

② 긴바늘은 6을 가리킵니다.
짧은바늘은 5와 6 사이에 있습니다.

시계가 나타내는 시각은 5시 30분 입니다.

❀ 다음 물음에 답하세요.

현우는 긴바늘이 12를 가리키고, 짧은바늘도 12를 가리킬 때 점심을 먹기 시작했습니다. 현우가 점심을 먹기 시작한 시각을 구하세요.

12시

① 수탉은 긴바늘이 12를 가리키고, 짧은바늘이 5를 가리킬 때 울기 시작합니다. 수탉이 울기 시작하는 시각을 구하세요.

5시

② 세람이는 긴바늘이 6을 가리키고, 짧은바늘이 3과 4 사이에 있을 때 공원에 도착했습니다. 세람이가 공원에 도착한 시각을 구하세요.

3시 30분

③ 긴바늘이 12를 가리키고, 짧은바늘이 8을 가리킬 때 비가 내리기 시작했습니다. 비가 내리기 시작한 시각을 구하세요.

8시

④ 긴바늘이 6을 가리키고, 짧은바늘이 12와 1 사이에 있을 때 부산으로 가는 열차가 출발했습니다. 열차가 출발한 시각을 구하세요.

12시 30분

14 A3-시계와 규칙 / 1주: 시계와 시각 15

P 16 ~ 17

확인학습

✎ 시계를 보고 밑줄친 곳에 알맞은 말을 써넣으세요.

①

9시 에 공원에 갔습니다.

②

1시 30분 에 종이접기를 하였습니다.

③
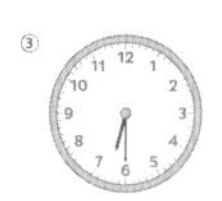

6시 30분 에 샤워를 했습니다.

④

수영장에 간 시각은 4시 입니다.

⑤

떡볶이를 먹은 시각은 3시 30분 입니다.

✎ 이야기에 나오는 시각을 시계에 나타내어 보세요.

⑥ 주연이가 잠자리에 든 시각은 밤 11시입니다.

⑦ 저녁 7시 30분부터 서커스 공연이 시작됩니다.

✎ 다음 물음에 답하세요.

⑧ 오후 4시에 쇼핑몰에 갔습니다. 짧은바늘이 가리키는 숫자는 무엇일까요?

4

⑨ 7시 30분에 저녁을 먹었습니다. 긴바늘이 가리키는 숫자는 무엇일까요?

6

16 A3-시계와 규칙 / 1주: 시계와 시각 17

P 18

확인학습

다음 물음에 답하세요.

⑩ 긴바늘이 12를 가리키고, 짧은바늘이 4를 가리킬 때 무지개가 떴습니다. 무지개가 뜬 시각을 구하세요.

4시

⑪ 야구 경기가 긴바늘이 6을 가리키고, 짧은바늘이 8과 9 사이에 있을 때 끝났습니다. 야구 경기가 끝난 시각을 구하세요.

8시 30분

⑫ 미래는 긴바늘이 6을 가리키고, 짧은바늘이 2와 3 사이에 있을 때 서점에 갔습니다. 미래가 서점에 간 시각을 구하세요.

2시 30분

⑬ 연지는 긴바늘이 12를 가리키고, 짧은바늘이 6을 가리킬 때 저녁을 먹기 시작했습니다. 연지가 저녁을 먹기 시작한 시각을 구하세요.

6시

⑭ 긴바늘이 6을 가리키고, 짧은바늘이 11과 12 사이에 있을 때 버스가 출발했습니다. 버스가 출발한 시각을 구하세요.

11시 30분

18 A3-시계와 규칙

P 20 ~ 21

1일 시간표

어떤 일이 일어나는
시각을 나타낸 표를
시간표라고 해.

❀ 시간표를 보고 밑줄친 곳에 알맞은 말을 써넣으세요.

산책	10 : 30
점심 식사	1 : 00
수학 공부	2 : 30

수학 공부

① 
점심 식사

② 
산책

영화	4 : 30
저녁 식사	6 : 30
보드게임	8 : 00

③ 
영화

④ 
보드게임

⑤ 
저녁 식사

❀ 초이의 시간표를 보고 물음에 답하세요.

기상	7 : 30	학교 도착	9 : 30
아침 식사	8 : 00	점심 식사	12 : 30
세수	8 : 30	학원 도착	5 : 00

아침에 초이가 일어나는 시각을 구하세요. 7시 30분

① 초이는 9시 30분에 무엇을 하고 있을까요? 학교 도착

② 초이가 점심을 먹기 시작하는 시각을 구하세요. 12시 30분

③ 시계의 긴바늘이 6을 가리키고 짧은바늘이 8과 9 사이에 있을 때 초이는 무엇을 하고 있을까요? 세수

④ 초이가 학원에 도착했을 때 시계의 짧은바늘이 가리키는 숫자는 무엇일까요? 5

P 22 ~ 23

2일 일찍, 늦게

'먼저, 일찍'은 앞의
시각을, '나중, 늦게'는
뒤의 시각을 뜻하지.

❀ 다음 물음에 답하세요.

어느 날 아침에 지영이와 준우가 학교에 도착한 시각입니다. 학교에 더 일찍 도착한 사람은 누구일까요?

지영 8시 / 준우 8시 30분 — 지영

① 점심 때 벌어진 경주에서 토끼와 거북이가 결승점에 도착한 시각입니다. 결승점에 더 일찍 도착한 동물은 무엇일까요?

토끼

거북

거북

② 오빠와 동생이 낮에 숙제를 끝낸 시각입니다. 숙제를 더 늦게 끝낸 사람은 누구일까요?

오빠

동생

오빠

③ 어느 날 아침에 테이와 세안이가 공원에 도착한 시각입니다. 공원에 나중에 도착한 사람은 누구일까요?

테이 / 세안 — 세안

④ 1반과 2반이 방과 후에 청소를 끝낸 시각입니다. 청소를 먼저 끝낸 반은 어디일까요?

1반

2반

2반

⑤ 지원이와 도연이가 점심을 다 먹은 시각입니다. 점심을 더 일찍 다 먹은 사람은 누구일까요?

지원

도연

지원

P 24 ~ 25

3일 가장 일찍, 가장 늦게

시각을 수직선에 나타내면 시각의 순서를 알기 쉬워.

기차가 도착한 시각을 수직선에 나타내어 보세요.

대전 12시 30분 ① 부산 ② 대구

12시 1시 2시 3시 4시 5시

대전 대구 부산

③ 경주 ④ 수원 ⑤ 구미

7시 8시 9시 10시 11시 12시

경주 구미 수원

다음 물음에 답하세요.

같은 날 밤에 세 사람이 잠든 시각입니다. 가장 먼저 잠든 사람은 누구일까요?

한나 두리 세람

9시 10시 11시

두리 한나 세람

두리

① 세 반이 방과 후에 청소를 끝낸 시각입니다. 가장 일찍 청소를 끝낸 반은 어디일까요?

2반 3반 4반

4반

② 낮에 벌어진 경주에서 세 동물이 결승점에 도착한 시각입니다. 가장 나중에 도착한 동물은 무엇일까요?

타조 하마 치타

하마

P 26 ~ 27

4일 시간 순서대로

수직선에서 왼쪽에 있는 사건이 더 일찍 일어난 사건이야.

아침부터 저녁까지의 일입니다. 순서대로 시간표를 완성해 보세요.

①

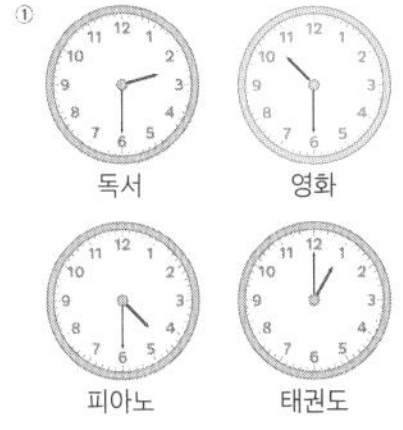

독서 영화 피아노 태권도

영화	10 : 30
태권도	1 : 00
독서	2 : 30
피아노	4 : 30

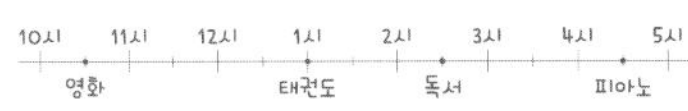

②

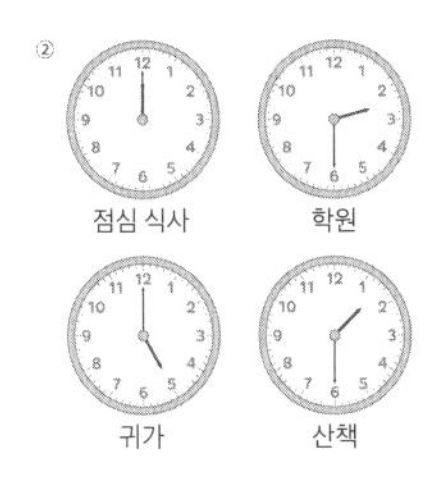

점심 식사 학원 귀가 산책

점심 식사	12 : 00
산책	1 : 30
학원	2 : 30
귀가	5 : 00

③

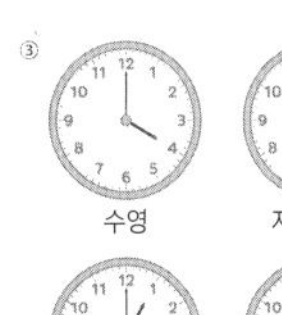

수영 저녁 식사 TV 시청 쇼핑

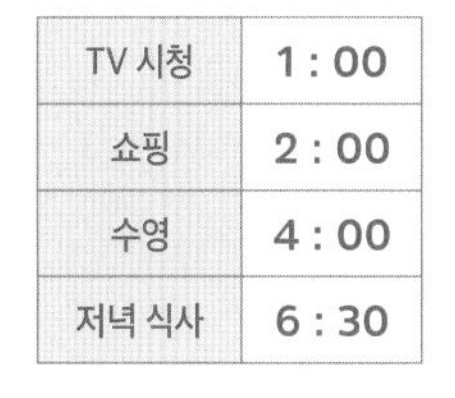

TV 시청	1 : 00
쇼핑	2 : 00
수영	4 : 00
저녁 식사	6 : 30

④

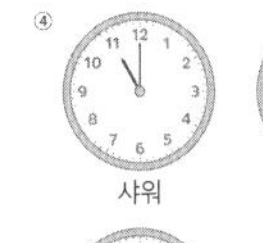

샤워 강아지 산책 영어 공부 달리기

달리기	9 : 30
샤워	11 : 00
강아지 산책	11 : 30
영어 공부	1 : 30

2주 시각 순서

P 28 ~ 29

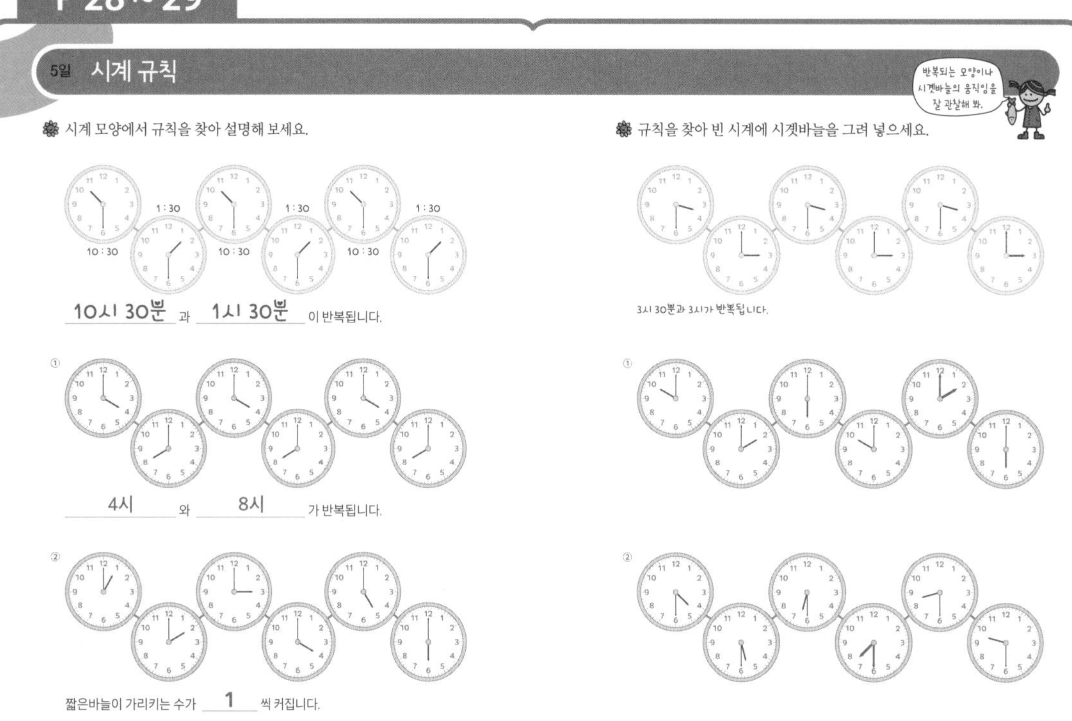

5일 시계 규칙

반복되는 모양이나 시곗바늘의 움직임을 잘 관찰해 봐.

❀ 시계 모양에서 규칙을 찾아 설명해 보세요.

10 : 30 / 1 : 30 / 10 : 30 / 1 : 30 / 10 : 30 / 1 : 30

10시 30분 과 1시 30분 이 반복됩니다.

① 4시 와 8시 가 반복됩니다.

② 짧은바늘이 가리키는 수가 1 씩 커집니다.

❀ 규칙을 찾아 빈 시계에 시곗바늘을 그려 넣으세요.

3시 30분과 3시가 반복됩니다.

①

②

P 30 ~ 31

확인학습

✎ 텔레비전 시간표를 보고 물음에 답하세요.

아침 뉴스	6 : 00	신기한 동물	9 : 00
마술 콘서트	7 : 30	보드게임	10 : 00
썬더의 모험	8 : 30	정글 대탐험	11 : 30

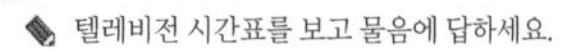

① 10시에 시작하는 프로그램은 무엇일까요? 보드게임

② 마술 콘서트가 시작하는 시각을 구하세요. 7시 30분

③ 6시에 시작하는 프로그램은 무엇일까요? 아침 뉴스

④ 시계의 긴바늘이 12를 가리키고, 짧은바늘이 9를 가리킬 때 시작하는 프로그램은 무엇일까요? 신기한 동물

⑤ 썬더의 모험이 시작할 때 시계의 긴바늘이 가리키는 숫자는 무엇일까요? 6

✎ 다음 물음에 답하세요.

⑥ 콩쥐와 팥쥐가 저녁에 청소를 마친 시각입니다. 청소를 나중에 마친 사람은 누구일까요?

콩쥐

팥쥐

콩쥐

⑦ 세 사람이 저녁 공부를 끝낸 시각입니다. 저녁 공부를 가장 일찍 끝낸 사람은 누구일까요?

준희

가람

영우

영우

⑧ 3일 동안 점심을 먹기 시작한 시각입니다. 점심을 가장 늦게 먹은 날은 무슨 요일일까요?

수요일

목요일

금요일

목요일

P 32

확인학습

아침부터 저녁까지의 일입니다. 순서대로 시간표를 완성해 보세요.

⑨

교회	9 : 00
공원	10 : 30
쇼핑몰	11 : 30
운동장	12 : 30

규칙을 찾아 빈 시계에 시곗바늘을 그려 넣으세요.

⑩

32 A3-시계와 규칙

3주 수 규칙

P 34 ~ 35

1일 반복되는 수

수가 반복되는 마디를 찾아 표시하면 규칙을 찾을 수 있어.

규칙을 찾아 설명하고, 빈칸에 알맞은 수를 써넣으세요.

2 3 5 2 3 5 2

2, 3, 5 가 반복되는 규칙입니다.

① 5 10 5 10 5 10 5

5, 10 이 반복되는 규칙입니다.

② 3 3 7 3 3 7 3

3, 3, 7 이 반복되는 규칙입니다.

③ 4 2 4 4 2 4 4

4, 2, 4 가 반복되는 규칙입니다.

다음 물음에 답하세요.

연지는 줄넘기를 하루에 10개, 10개, 15개씩 하기를 반복합니다. 연지가 줄넘기를 한 지 6일째에 하는 줄넘기는 몇 개일까요?

10 10 15 10 10 15
1일 2일 3일 4일 5일 6일

15개

① 주인이는 귤을 하루에 2개, 3개씩 먹기를 반복합니다. 주인이가 귤을 먹은 지 7일째에 먹는 귤은 몇 개일까요?

2개

② 기주가 날씨를 기록하는 동안 날씨가 맑음, 흐림, 맑음이 반복되었습니다. 기주가 날씨를 기록한 지 8일째의 날씨는 어땠을까요?

흐림

③ 시골 마을의 닭이 하루에 3번, 4번, 5번씩 울기를 반복합니다. 닭이 운 지 9일째에 닭은 몇 번 울까요?

5번

P 36 ~ 37

2일 늘어나는 수

이웃한 수끼리 차를 구하여 몇씩 커지는지 알아내어 보자.

규칙을 찾아 설명하고, 빈칸에 알맞은 수를 써넣으세요.

5 7 9 11 13 15 17

5 부터 시작하여 2 씩 커집니다.

① 6 9 12 15 18 21 24

6 부터 시작하여 3 씩 커집니다.

② 2 7 12 17 22 27 32

2 부터 시작하여 5 씩 커집니다.

③ 10 14 18 22 26 30 34

10 부터 시작하여 4 씩 커집니다.

다음 물음에 답하세요.

희정이는 스티커를 9장 가지고 있는데 매일 5개씩 더 모으려고 합니다. 스티커를 모은 지 4일 후에 희정이가 가진 스티커는 몇 장일까요?

9 14 19 24 29
1일 2일 3일 4일

29장

① 연못에 개구리가 7마리 있는데 하루에 3마리씩 더 늘어납니다. 개구리가 늘어난 지 6일 후에 연못에 있는 개구리는 몇 마리일까요?

25마리

② 우진이는 그림책을 21쪽 읽었는데 매일 4쪽씩 더 읽으려고 합니다. 그림책을 더 읽은 지 7일째까지 우진이가 읽은 그림책은 몇 쪽일까요?

49쪽

③ 정원에 튤립이 12송이 피어 있는데 매일 10송이씩 더 핀다고 합니다. 튤립이 더 핀 지 5일 후에 정원에 피어 있는 튤립은 몇 송이일까요?

62송이

P 38 ~ 39

3일 줄어드는 수

하루에 2씩 줄면 처음보다 2, 4, 6, 8 …만큼 점점 줄어들지.

규칙을 찾아 설명하고, 빈칸에 알맞은 수를 써넣으세요.

50 - 45 - 40 - 35 - 30 - 25 - 20

50 부터 시작하여 5 씩 작아집니다.

① 15 - 13 - 11 - 9 - 7 - 5 - 3

15 부터 시작하여 2 씩 작아집니다.

② 33 - 29 - 25 - 21 - 17 - 13 - 9

33 부터 시작하여 4 씩 작아집니다.

③ 81 - 71 - 61 - 51 - 41 - 31 - 21

81 부터 시작하여 10 씩 작아집니다.

다음 물음에 답하세요.

냉장고에 사과가 15개 있었는데 하루에 2개씩 먹으려고 합니다. 사과를 먹은 지 5일 후에 냉장고에 있는 사과는 몇 개일까요?

15 - 13 - 11 - 9 - 7 - 5
1일 2일 3일 4일 5일

5개

① 현중이는 80쪽짜리 동화책을 하루에 4쪽씩 읽으려고 합니다. 동화책을 읽은 지 6일 후에 남아 있는 동화책은 몇 쪽일까요?

56쪽

② 초 34개가 켜져 있는데 숨을 한 번 불 때마다 3개씩 꺼집니다. 숨을 4번 불었을 때 남은 초는 몇 개일까요?

22개

③ 버스에 39명이 타고 있었는데 정류장마다 5명씩 내립니다. 5번째 정류장을 지났을 때 버스에 남은 사람은 몇 명일까요?

14명

P 40 ~ 41

4일 합이 같은 규칙

가진 것을 서로 주고받아도 가진 것의 합은 달라지지 않아.

연결된 두 수의 관계를 설명하고, 빈칸에 알맞은 수를 써넣으세요.

0	1	2	3	4
5	4	3	2	1

연결된 두 수의 합이 5 입니다.

①

7	6	5	4	3
0	1	2	3	4

연결된 두 수의 합이 7 입니다.

②

4	5	6	7	8
5	4	3	2	1

연결된 두 수의 합이 9 입니다.

다음 물음에 답하세요.

사탕을 희진이는 4개, 수혁이는 3개 가지고 있었습니다. 희진이가 수혁이에게 사탕 몇 개를 더 주었더니 수혁이가 가진 사탕은 6개가 되었습니다. 희진이가 가진 사탕은 몇 개일까요?

희진	4	3	2	1
수혁	3	4	5	6

1개

① 정재는 우표를 1장 편지에 붙이고 18장이 남았습니다. 정재가 우표를 몇 장 더 붙였더니 남은 우표는 13장이 되었습니다. 정재가 편지에 붙인 우표는 모두 몇 장일까요?

6장

② 준우가 사과를 1개 먹었더니 7개가 남았습니다. 준우가 사과를 몇 개 더 먹었더니 먹은 사과는 모두 5개였습니다. 준우가 먹고 남은 사과는 몇 개일까요?

3개

P 42 ~ 43

5일 차가 같은 규칙

❀ 연결된 두 수의 관계를 설명하고, 빈칸에 알맞은 수를 써넣으세요.

1	2	3	4	5
2	3	4	5	6

아래의 수가 위의 수보다 1 만큼 큽니다.

①

0	1	2	3	4
4	5	6	7	8

아래의 수가 위의 수보다 4 만큼 큽니다.

②

9	8	7	6	5
7	6	5	4	3

아래의 수가 위의 수보다 2 만큼 작습니다.

두 사람의 나이 차는 몇 년이 지나도 항상 변하지 않지.

❀ 다음 물음에 답하세요.

공책을 로이는 10권, 수지는 12권 가지고 있었습니다. 두 사람에게 각각 공책을 똑같은 수만큼 더 주었더니 로이가 가진 공책은 15권이 되었습니다. 수지가 가진 공책은 몇 권일까요?

로이	10	11	12	13	14	15
수지	12	13	14	15	16	17

17권

① 귤을 지혜는 9개, 성재는 6개 가지고 있었습니다. 두 사람이 귤을 똑같은 수만큼 먹었더니 성재가 가진 귤은 1개가 되었습니다. 지혜가 가진 귤은 몇 개일까요?

4개

② 올해 누나는 14살, 동생은 10살입니다. 몇 년 뒤에 동생은 13살이 되었습니다. 누나는 몇 살이 되었을까요?

17살

42 A3-시계와 규칙   3주: 수 규칙 43

P 44 ~ 45

확인학습

✎ 규칙을 찾아 설명하고, 빈칸에 알맞은 수를 써넣으세요.

① 3 — 6 — 9 — 3 — 6 — 9 — 3

3, 6, 9 가 반복되는 규칙입니다.

② 8 — 18 — 28 — 38 — 48 — 58 — 68

8 부터 시작하여 10 씩 커집니다.

③ 30 — 27 — 24 — 21 — 18 — 15 — 12

30 부터 시작하여 3 씩 작아집니다.

④ 12 — 14 — 16 — 18 — 20 — 22 — 24

12 부터 시작하여 2 씩 커집니다.

✎ 다음 물음에 답하세요.

⑤ 수련이는 동화책을 하루에 5쪽, 10쪽, 15쪽씩 읽기를 반복합니다. 수련이가 동화책을 읽은 지 7일째에 읽는 동화책은 몇 쪽일까요?

5쪽

⑥ 색종이가 53장 있었는데 종이개구리 1마리를 만들 때마다 2장씩 씁니다. 종이개구리 9마리를 만들면 남아 있는 색종이는 몇 장일까요?

35장

⑦ 복숭아나무에 복숭아가 8개 열려 있었는데 하루에 3개씩 더 열린다고 합니다. 더 열린 지 7일째에 복숭아나무에 열려 있는 복숭아는 몇 개일까요?

29개

⑧ 논에 올챙이가 34마리 있었는데 매일 4마리씩 줄어듭니다. 올챙이가 줄어든 지 7일 후에 논에 남아 있는 올챙이는 몇 마리일까요?

6마리

44 A3-시계와 규칙   3주: 수 규칙 45

P 46

확인학습

다음 물음에 답하세요.

⑨ 올해 아빠는 46살, 엄마는 49살입니다. 몇 년 전 엄마가 43살일 때 아빠는 몇 살이었을까요?

40살

⑩ 스티커를 소은이는 7장, 봄이는 11장 가지고 있었습니다. 소은이가 봄이에게 스티커를 몇 장 주었더니 소은이가 가진 스티커는 4장이 되었습니다. 봄이가 가진 스티커는 몇 장일까요?

14장

⑪ 연필을 혁민이는 15자루, 두기는 16자루 가지고 있었습니다. 두 사람이 연필을 똑같은 수만큼 더 샀더니 혁민이가 가진 연필은 18자루가 되었습니다. 두기가 가진 연필은 몇 자루일까요?

19자루

46 A3-시계와 규칙

P 48 ~ 49

1일 백판 수 배열표

❀ 백판 수 배열표를 모두 채워 보세요.

①

1	2	3	4	5	6	7	8	9	10
11	12	13	14	15	16	17	18	19	20
21	22	23	24	25	26	27	28	29	30
31	32	33	34	35	36	37	38	39	40
41	42	43	44	45	46	47	48	49	50
51	52	53	54	55	56	57	58	59	60
61	62	63	64	65	66	67	68	69	70
71	72	73	74	75	76	77	78	79	80
81	82	83	84	85	86	87	88	89	90
91	92	93	94	95	96	97	98	99	100

❀ 백판 수 배열표를 보고 밑줄친 곳에 알맞은 수를 써넣으세요.

33에서 오른쪽으로 4칸 떨어져 있는 수는 37 입니다.

33	34	35	36	37
	1칸	2칸	3칸	4칸

① 88에서 위로 6칸 떨어져 있는 수는 28 입니다.

② 78에서 왼쪽으로 4칸 떨어져 있는 수는 74 입니다.

③ 25에서 아래로 3칸 떨어져 있는 수는 55 입니다.

④ 66보다 50 작은 수는 16 입니다.

⑤ 71보다 7 더 큰 수는 78 입니다.

48 A3-시계와 규칙　　　　4주: 수 배열표 49

P 50 ~ 51

2일 백판 조각

❀ 다음은 백판의 일부입니다. 알맞게 채워 보세요.

①

12	13	14	15		17	18	19	20
			25		27			
			35	36	37			

②

52	53	54		56	57	58
62			65			68
72						78

③

			74	75			
		83	84	85	86		
91	92	93			96	97	98

❀ 백판의 일부를 사용하여 다음 물음에 답하세요.

62보다 23 큰 수는 얼마입니까?

답: 85

62				
72				
82	83	84	85	

23 큰 수는 20 큰 수보다 3 더 큰 수입니다.

① 34보다 14 큰 수는 얼마입니까?

답: 48

34				
44	45	46	47	48

② 48보다 32 작은 수는 얼마입니까?

답: 16

		16	17	18
				28
				38
				48

③ 85보다 34 작은 수는 얼마입니까?

답: 51

51	52	53	54	55
				65
				75
				85

50 A3-시계와 규칙　　　　4주: 수 배열표 51

P 52 ~ 53

3일 백판 뛰어 세기

멧씩 뛰어 세는 규칙과 멧씩 커지는 규칙은 같은 규칙이야.

규칙을 찾아 색칠하고, 색칠한 수의 규칙을 설명해 보세요.

1	2	3	4	5	6	7	8	9	10
11	12	13	14	15	16	17	18	19	20
21	22	23	24	25	26	27	28	29	30

2 부터 시작하여 2 씩 뛰어 세는 규칙입니다.

①

31	32	33	34	35	36	37	38	39	40
41	42	43	44	45	46	47	48	49	50
51	52	53	54	55	56	57	58	59	60

31 부터 시작하여 3 씩 뛰어 세는 규칙입니다.

②

61	62	63	64	65	66	67	68	69	70
71	72	73	74	75	76	77	78	79	80
81	82	83	84	85	86	87	88	89	90

63 부터 시작하여 4 씩 뛰어 세는 규칙입니다.

극장의 좌석 배열표를 보고 물음에 답하세요.

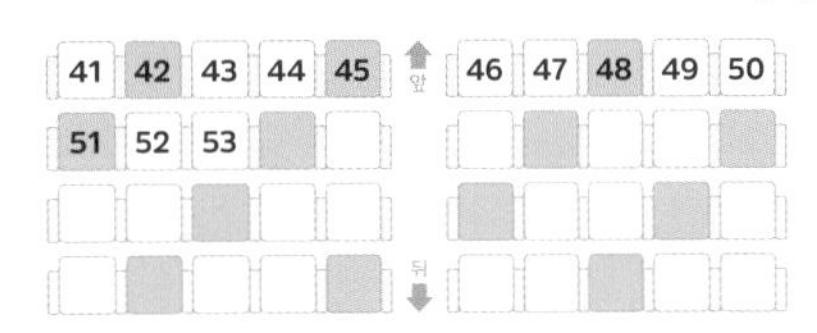

53번 좌석에서 오른쪽으로 4칸, 앞으로 1칸 떨어져 있는 좌석은 몇 번일까요?

				47
53	54	55	56	57

1칸 2칸 3칸 4칸, 1칸

47번

① 49번 좌석에서 뒤로 3칸, 왼쪽으로 5칸 떨어져 있는 좌석은 몇 번일까요?

74번

② 색칠한 좌석 중 49번 좌석과 같은 세로줄에 있는 좌석은 몇 번일까요?

69번

③ 색칠한 좌석 중 좌석 번호가 2번째로 큰 좌석은 몇 번일까요?

75번

P 54 ~ 55

4일 가로 수 배열

달력의 가로줄에는 날짜가 7개씩 순서대로 들어가 있어.

수 배열의 규칙을 찾아 배열표를 알맞게 채워 보세요.

①

1	2	3
4	5	6
7	8	9
10	11	12
13	14	15

②

13	14	15	16	17
18	19	20	21	22
23	24	25	26	27
28	29	30	31	32
33	34	35	36	37

③

24	23	22	21
20	19	18	17
16	15	14	13
12	11	10	9
8	7	6	5
4	3	2	1

④

66	67	68
63	64	65
60	61	62
57	58	59
54	55	56
51	52	53

9월 달력의 일부입니다. 물음에 답하세요.

일	월	화	수	목	금	토
			1	2	3	4
5	6	7	8	9	10	11
12						

9월 4일에서 아래로 2칸 떨어져 있는 날은 9월 며칠일까요?

4	
11	1칸
18	2칸

아래로 1칸 갈수록 7일씩 늘어납니다.

18일

① 9월 12일은 일요일입니다. 9월 12일에서 10일 후는 무슨 요일일까요?

수요일

② 9월의 첫 번째 월요일은 6일입니다. 9월의 네 번째 월요일은 9월 며칠일까요?

27일

③ 9월은 30일까지 있습니다. 9월의 마지막 날은 무슨 요일일까요?

목요일

P 56 ~ 57

5일 세로 수 배열

같은 가로줄에 있는 수들이 커지거나 작아지는 규칙을 찾아봐.

수 배열의 규칙을 찾아 배열표를 알맞게 채워 보세요.

①

1	4	7	10	13	16
2	5	8	11	14	17
3	6	9	12	15	18

②

41	43	45	47	49	51	53	55
42	44	46	48	50	52	54	56

③

28	24	20	16	12	8	4
27	23	19	15	11	7	3
26	22	18	14	10	6	2
25	21	17	13	9	5	1

사물함에 번호를 붙였습니다. 물음에 답하세요.

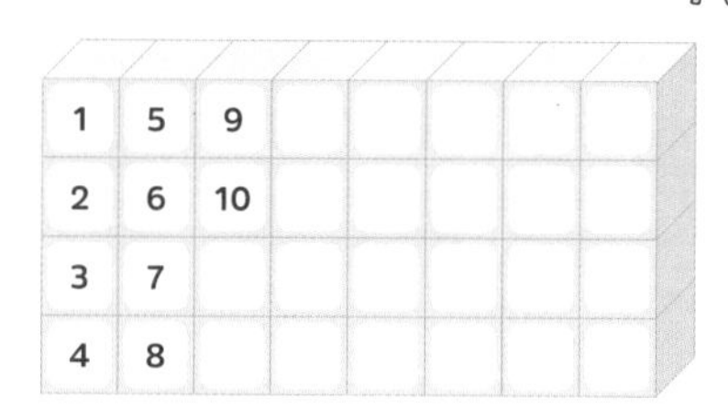

10번 사물함에서 오른쪽으로 4칸 떨어져 있는 사물함은 몇 번일까요?

10	14	18	22	26
	1칸	2칸	3칸	4칸

오른쪽으로 1칸 갈수록 번호가 4씩 커집니다.

26번

① 8번 사물함에서 위로 3칸, 오른쪽으로 6칸 떨어져 있는 사물함은 몇 번일까요?

29번

② 위에서 3번째 가로줄, 왼쪽에서 5번째 세로줄에 있는 사물함은 몇 번일까요?

19번

56 A3-시계와 규칙 / 4주: 수 배열표 57

P 58 ~ 59

확인학습

백판 수 배열표의 일부를 모두 채우고 물음에 답하세요.

①

51	52	53	54	55	56	57	58	59	60
61	62	63	64	65	66	67	68	69	70
71	72	73	74	75	76	77	78	79	80
81	82	83	84	85	86	87	88	89	90

② 83에서 위로 3칸 떨어져 있는 수는 53 입니다.

③ 79에서 왼쪽으로 7칸 떨어져 있는 수는 72 입니다.

④ 53보다 4 큰 수는 57 입니다.

⑤ 66보다 20 큰 수는 86 입니다.

극장의 좌석 배열표를 보고 물음에 답하세요.

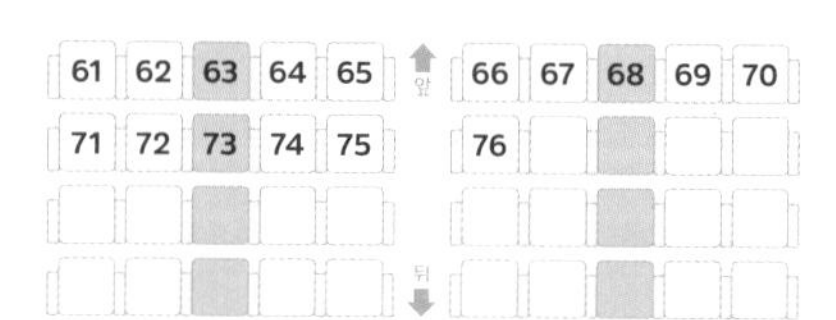

⑥ 70번 좌석에서 왼쪽으로 8칸, 뒤로 3칸 떨어져 있는 좌석은 몇 번일까요?

92번

⑦ 75번 좌석에서 뒤로 1칸, 오른쪽으로 4칸 떨어져 있는 좌석은 몇 번일까요?

89번

⑧ 색칠한 좌석 중 좌석 번호가 3번째로 큰 좌석은 몇 번일까요?

88번

⑨ 색칠한 좌석 중 좌석 번호가 가장 큰 좌석에서 왼쪽으로 2칸, 앞으로 2칸 떨어져 있는 좌석은 몇 번일까요?

76번

58 A3-시계와 규칙 / 4주: 수 배열표 59

P 60

확인학습

사물함에 번호를 붙였습니다. 물음에 답하세요.

3	6	9						
2	5	8						
1	4	7	10					

⑩ 9번 사물함에서 오른쪽으로 4칸 떨어져 있는 사물함은 몇 번일까요?

21번

⑪ 10번 사물함에서 위로 1칸, 왼쪽으로 3칸 떨어져 있는 사물함은 몇 번일까요?

2번

⑫ 번호가 가장 큰 사물함은 몇 번일까요?

27번

⑬ 맨 아래의 가로줄, 오른쪽에서 4번째 세로줄에 있는 사물함은 몇 번일까요?

16번

60 A3-시계와 규칙

진단평가

P62 ~ 63

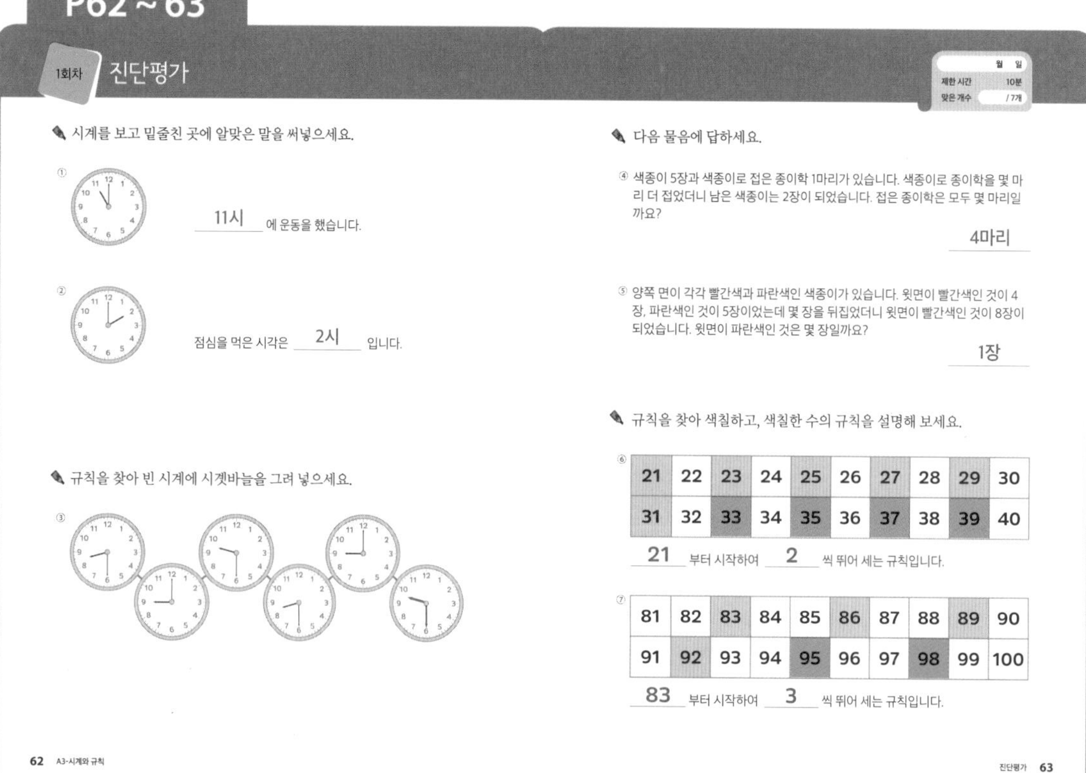

1회차 진단평가

월 일 / 제한 시간 10분 / 맞은 개수 /7개

✎ 시계를 보고 밑줄친 곳에 알맞은 말을 써넣으세요.

① 11시 에 운동을 했습니다.

② 점심을 먹은 시각은 2시 입니다.

✎ 규칙을 찾아 빈 시계에 시곗바늘을 그려 넣으세요.

③

✎ 다음 물음에 답하세요.

④ 색종이 5장과 색종이로 접은 종이학 1마리가 있습니다. 색종이로 종이학을 몇 마리 더 접었더니 남은 색종이는 2장이 되었습니다. 접은 종이학은 모두 몇 마리일까요?

4마리

⑤ 양쪽 면이 각각 빨간색과 파란색인 색종이가 있습니다. 윗면이 빨간색인 것이 4장, 파란색인 것이 5장이었는데 몇 장을 뒤집었더니 윗면이 빨간색인 것이 8장이 되었습니다. 윗면이 파란색인 것은 몇 장일까요?

1장

✎ 규칙을 찾아 색칠하고, 색칠한 수의 규칙을 설명해 보세요.

⑥

21	22	23	24	25	26	27	28	29	30
31	32	33	34	35	36	37	38	39	40

21 부터 시작하여 2 씩 뛰어 세는 규칙입니다.

⑦

81	82	83	84	85	86	87	88	89	90
91	92	93	94	95	96	97	98	99	100

83 부터 시작하여 3 씩 뛰어 세는 규칙입니다.

62 A3-시계와 규칙 · 진단평가 63

P 64 ~ 65

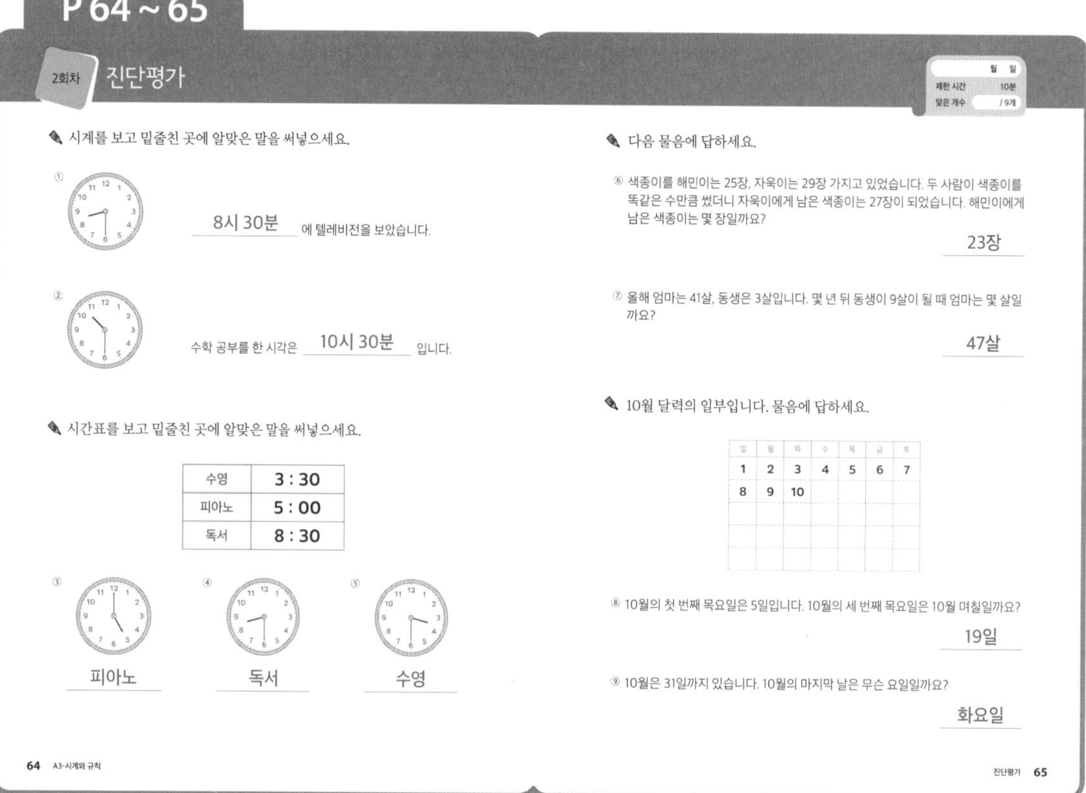

2회차 진단평가

월 일 / 제한 시간 10분 / 맞은 개수 /9개

✎ 시계를 보고 밑줄친 곳에 알맞은 말을 써넣으세요.

① 8시 30분 에 텔레비전을 보았습니다.

② 수학 공부를 한 시각은 10시 30분 입니다.

✎ 시간표를 보고 밑줄친 곳에 알맞은 말을 써넣으세요.

수영	3 : 30
피아노	5 : 00
독서	8 : 30

③ 피아노 ④ 독서 ⑤ 수영

✎ 다음 물음에 답하세요.

⑥ 색종이를 해민이는 25장, 자욱이는 29장 가지고 있었습니다. 두 사람이 색종이를 똑같은 수만큼 썼더니 자욱이에게 남은 색종이는 27장이 되었습니다. 해민이에게 남은 색종이는 몇 장일까요?

23장

⑦ 올해 엄마는 41살, 동생은 3살입니다. 몇 년 뒤 동생이 9살이 될 때 엄마는 몇 살일까요?

47살

✎ 10월 달력의 일부입니다. 물음에 답하세요.

일	월	화	수	목	금	토
1	2	3	4	5	6	7
8	9	10				

⑧ 10월의 첫 번째 목요일은 5일입니다. 10월의 세 번째 목요일은 10월 며칠일까요?

19일

⑨ 10월은 31일까지 있습니다. 10월의 마지막 날은 무슨 요일일까요?

화요일

64 A3-시계와 규칙 · 진단평가 65

P 66 ~ 67

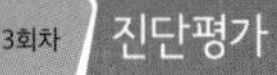

3회차 진단평가

월 일
제한 시간 10분
맞은 개수 /8개

✎ 이야기에 나오는 시각을 시계에 나타내어 보세요.

① 민지는 4시 30분에 공원에서 친구와 만나기로 했습니다.

② 달이 뜬 시각은 저녁 6시입니다.

✎ 다음 물음에 답하세요.

③ 레오와 현석이가 아침에 요리를 끝낸 시각입니다. 요리를 먼저 끝낸 사람은 누구일까요?

레오

현석

레오

④ 월요일과 화요일에 학교를 마친 시각입니다. 학교를 더 늦게 마친 날은 무슨 요일일까요?

월요일

화요일

월요일

✎ 다음 물음에 답하세요.

⑤ 장군이는 우유를 하루에 2잔, 1잔씩 마시기를 반복합니다. 우유를 마신 지 10일째에 장군이가 마시는 우유는 몇 잔일까요?

1잔

⑥ 장식 전구가 매일 빨간색, 파란색, 보라색으로 바뀌기를 반복합니다. 전구가 켜진 지 8일째에 전구는 무슨 색깔일까요?

파란색

✎ 수 배열의 규칙을 찾아 배열표를 알맞게 채워 보세요.

⑦

36	35	34	33
40	39	38	37
44	43	42	41
48	47	46	45

⑧

51	54	57	60	63
50	53	56	59	62
49	52	55	58	61

P 68 ~ 69

4회차 진단평가

월 일
제한 시간 10분
맞은 개수 /10개

✎ 다음 물음에 답하세요.

① 12시에 해가 가장 높이 뜹니다. 짧은바늘이 가리키는 숫자는 무엇일까요?

12

② 애니메이션이 시작되는 시각은 10시 30분입니다. 짧은바늘은 어떤 두 수 사이에 있을까요?

10과 11

✎ 기차가 도착한 시각을 수직선에 나타내어 보세요.

③

광명

④

울산

⑤

천안

✎ 다음 물음에 답하세요.

⑥ 다람쥐가 도토리를 3개 가지고 있는데 하루에 2개씩 더 모으려고 합니다. 도토리를 더 모은 지 8일 후에 다람쥐가 가진 도토리는 몇 개일까요?

19개

⑦ 우창이는 우표를 15장 가지고 있는데 하루에 5장씩 더 모으려고 합니다. 우표를 더 모은 지 6일 후에 우창이가 가진 우표는 몇 장일까요?

45장

✎ 백판 수 배열표의 일부를 모두 채우고 물음에 답하세요.

⑧

21	22	23	24	25	26	27	28	29	30
31	32	33	34	35	36	37	38	39	40
41	42	43	44	45	46	47	48	49	50

⑨ 34에서 오른쪽으로 5칸 떨어져 있는 수는 39 입니다.

⑩ 48보다 20 작은 수는 28 입니다.

P 70 ~ 71

5회차 진단평가

월 일
제한 시간 10분
맞은 개수 / 7개

✎ 다음 물음에 답하세요.

① 연두는 긴바늘이 12를 가리키고, 짧은바늘이 9를 가리킬 때 잠자리에 들었습니다. 연두가 잠자리에 든 시각을 구하세요.

9시

② 긴바늘이 6을 가리키고, 짧은바늘이 6과 7 사이에 있을 때 강아지에게 밥을 주었습니다. 강아지에게 밥을 준 시각을 구하세요.

6시 30분

✎ 아침부터 저녁까지의 일입니다. 순서대로 시간표를 완성해 보세요.

③

점심 식사 방 청소 수학 공부 보드게임

점심 식사	1 : 00
수학 공부	2 : 00
방 청소	3 : 30
보드게임	4 : 00

✎ 다음 물음에 답하세요.

④ 영준이는 동전을 25개 가지고 있었는데 하루에 3개씩 썼습니다. 동전을 쓴 지 5일 후에 남아 있는 동전은 몇 개일까요?

10개

⑤ 비눗방울이 42개 있는데 눈을 한 번 깜빡일 때마다 5개씩 줄어듭니다. 눈을 4번 깜빡이면 남아 있는 비눗방울은 몇 개일까요?

22개

✎ 백판의 일부를 사용하여 다음 물음에 답하세요.

⑥ 77보다 14 작은 수는 얼마입니까?

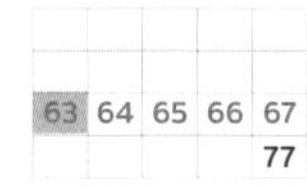

63	64	65	66	67
				77

답 : 63

⑦ 4보다 33 큰 수는 얼마입니까?

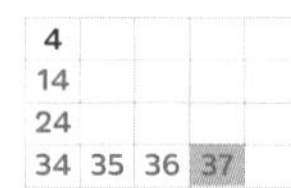

4				
14				
24				
34	35	36	37	

답 : 37

70 A3-시계와 규칙 진단평가 71

“

The essence of mathematics is its freedom.

”

"수학의 본질은 그 자유로움에 있다."

Georg Cantor, 게오르크 칸토어